# 私たちはなぜ、学び続けるのか

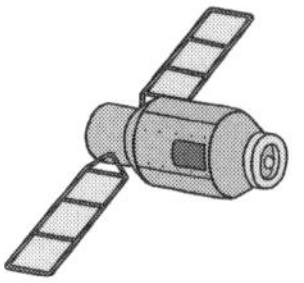

池上 彰
Ikegami Akira

日本経済新聞出版

# はじめに

## 「知識の運用力」を身につけよう

世界は大きく変動している、というのは定番のセリフになっていますが、まさにその通りになっています。

世界を見渡すと、ロシアによるウクライナ侵攻の終わりが見えない中、ハマスによるイスラエル奇襲攻撃で中東情勢は一段と混迷。さらにアメリカ大統領選挙では「もしトラ」の言葉が流行しています。「もしトランプ前大統領が再選されたら」という意味です。最初は冗談半分だった言葉でしたが、ここへ来て可能性が増し、「ほぼトラ」さらには「かくトラ」という言葉まで登場しました。「確実にトランプ当選」という意味です。

日本国内に目を転じると、２０２３年５月に広島で開催されたＧ７サミットをきっかけに岸田文雄総理の支持率は上がりましたが、その後は急降下。さらに自民党の派閥による「裏金」問題が表面化すると、岸田内閣の支持率は一段と低空飛行を続けています。

こんな世界に生きる私たちにとって、確かな指針はあるのでしょうか。都合のいい出来合いの指標など、あるわけがありません。結局は、自分の中にあるさまざまな知識を総動員して自分なりの道標を作っていくしかないのです。そこで役に立つのが「教養」です。世界と日本を見据えるために教養は力を発揮するのです。

でも、そんな教養はどこで得られるのか。必要とされるのが「学び」です。私は教養とは「知識の運用力」だと考えています。私たちの頭の中には、過去の学校教育で得られたたくさんの知識が詰まっています。ところが、多くの知識は頭の中に点在するだけ。バラバラの知識のままです。これでは運用できません。そんな知識の「点」と「点」を結べば線になり、線と線を結べば全体像が浮かび上がってきます。

このとき点と点を結ぶために必要なのが、新たな学びです。新たに学ぶことで、自分の中にある点と点がつながります。こうしてできた線と線をつなぐ力が運用力です。

つまり新たに学ぶことで、自分の中にある知識を生かすことができるのです。新たな学びによって、「そうだったのか！」と気づくことは多いはずです。このとき自分の中の知識が活性化しています。過去の自分の学びは無駄ではなかった。それを知ることができるのですから、楽しいではありませんか。人生１００年時代、「学び」は大学生だけでなく、あらゆる世代に共通するテーマです。

私は東京工業大学など複数の大学で学生諸君に「知識の運用力」を伝授しようとしてきました。その一端が、２０１４年から10年間にわたって日本経済新聞に連載している「池上彰の大岡山通信　若者たちへ」です。大岡山は東京工業大学の本部キャンパスの地名です。日頃学生たちと接する中で得た私なりの学びを紹介しています。

10年間の学びを総括したのが本書です。毎回私の連載に伴走してくださっている日本経済新聞社の倉品武文さんのおかげで、これだけ積み重なりました。感謝です。

2024年3月8日

東京工業大学特命教授　**池上 彰**

# 目次

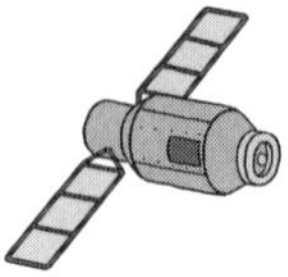

contents



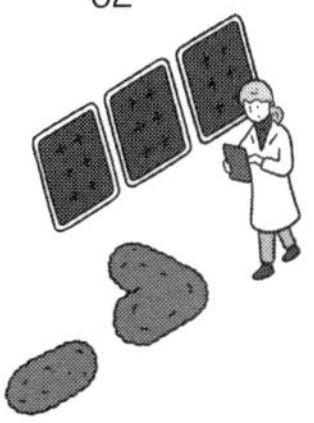

［第2章］

# 学びをもとに、伝える力をつける

［第3章］

# 歴史から何を学ぶのか

## グローバルな教養を身につけるために

[第4章]

# 学びを実践する 社会の中で 働き・生きていくこと

contents

序章

# 社会に出る君へ

今年も多くの若者が卒業し、働き始める季節がやって来ました。
１００年に一度といわれる新型コロナウイルス禍による
パンデミック（世界的大流行）に遭遇し、
希望や不安を抱きながら、社会人として第一歩を踏み出すことでしょう。
人生とは自ら学び、答えを探し求めて歩み続けることでもあるのです。
「学ぶこと」について述べる前に、いま就職活動をしている若者、
働くことを考え始めた若者へ向けて、私からのメッセージを贈ります。

## 初心を大切に

次のような気持ちになった経験はありませんか。「この会社でよかったのだろうか」「自分に合った会社がほかにもあるのではないか」。でも、恐れることはないのです。先輩たちもそうした心境は体験してきたことですから。

働くことへの不安や悩みを抱いたときにこそ、あなたに振り返ってほしいことがあります。自分にふさわしい会社を選ぼうと真剣になっていたときの心境を思い出してほしいのです。それは初心と言い換えてもよいかもしれません。

たとえば先輩の就活体験や卒業生の仕事体験を聞いてどんなことを考えましたか。初めて聞く話をきっかけに社会貢献、世界での活躍という夢を抱いたでしょうか。ふるさとで地域の未来を考えたいと決意した人もいるかもしれませんね。

初心とは社会人としての出発点。人生の夢を支える土台です。初心を胸に刻んでおけば、働き始めた後、迷いや辛い気持ちに直面しても心の支えになってくれるでしょう。

私は小学生のときに読んだ本をきっかけに、地方で働く記者にあこがれました。学生時代も報道の役割を考え続けました。１９７０年代の初めになると、テレビ報道に将来の可

能性を感じました。気がつけば記者活動はおよそ半世紀を超えています。

もちろんＮＨＫの新人時代には、記事がうまく書けずに真剣に悩みました。フリーになった後、報道の姿勢をめぐって大きな壁にぶつかったこともあります。そんなときに私を支えたのは「自分はなぜ記者を志したのか」という初心でした。

あなたにはコロナ禍の学生時代を過ごした辛い体験があります。あの時間と真摯《しんし》に向き合うことによって、「生きる力」が鍛えられてきたはずです。決して無駄な時間を過ごしていたのではありません。自分自身の可能性を信じて、歩んでください。いま就活中の若者たちには、学生時代にやり残したことにチャレンジしておくことをお勧めします。いまならわかります。学生時代とはかけがえのない時間なのです。

## コロナ禍で学んだこと

コロナ禍とともに学び、活動してきた若者たちは、辛い経験をした記憶が昨日のことのようでしょう。入学式に出席できなかったり、教室で授業を受けられなかったりといった普通の学生生活の大切さを痛感したはずです。

実に残念なことでした。でも、日本だけでなく世界中の若者が、キャンパスライフを満喫できなかった経験をして社会に巣立ちます。辛かったのは、あなただけではないのです。

ときには「自分たちはなんて不運な世代なのだろう」と、自らの境遇を恨めしく思ったことはありませんか。でも、皆さんはオンラインを使ってでも授業やサークル活動に参加し、逆境を乗り越えてきたのです。自信を持ってください。

長年、生きていると、本人の努力や能力に関係なく、一人ひとりの人生が時代の荒波に大きな影響を受けることがあるものです。かつてのバブル崩壊やリーマン・ショックに遭遇した多くの先輩たちも、就

2023年4月、コロナ禍で新入生向けに行われた東工大立志プロジェクト。池上さんは東工大の一室から、学生として学ぶことの心構えを話した（写真：窪徳健作）

活に苦労してきたのです。

コロナ禍での学生生活や就活体験は決して無駄ではありません。少し思い出してみてください。

これまでのような企業訪問ができなくなり、面接もリモートで実施した企業も多かったでしょう。中には、自宅でのリモートだったので、従来以上にたくさんの企業の面接に参加できたという人もいるようです。さて、あなたは、パソコンの画面越しに自分をどれだけ売り込むことができましたか？

就活生を面接した会社側の人事担当者に話を聞くと、実際に会っていないので、その人の人柄を現場でじっくり見ることができず苦労したという話も聞きます。その一方で、人を見る目を持つベテランは、「画面上でも、やりとりをしていると、その人の素顔が見えてくるものです」と語っていました。あなたは、どちらのタイプの人によってリモート面接を受けたのでしょうか。

コロナ禍で社会は大きく変わりました。企業ではＩＣＴ（情報通信技術）をフル活用して、リモートで会議をしたり、在宅勤務をしたりする新しい働き方が定着したといえるでしょう。未来の会社での働き方といわれてきた姿が実現したのです。

あなたが入社した会社や組織でも、毎日出勤する必要はないというところがあるでしょう。ふだんは在宅勤務をしながら、必要なときは会社に出ていく。メリハリをつけた働き方が求められるようになったのです。そんなとき、リモートで参加した授業や就活の体験が生きてくるはずです。

ものは考えよう。それだけ苦難を経験した若者たちは、過去にはそんなにいなかったはずです。苦労をしたからこそ、あなたは精神的に成長したはずです。その点には、どうぞ自信を持ってください。

## 誰もが通る道

ようやく普段の日常の生活のなかでマスクをはずす機会が増えたのは嬉しいことです。コロナ禍のオフィスでは、みんながマスクをしていたころには、先輩たちは、「新入社員の顔がわからない」と嘆いていました。それは新入社員も同じこと。「先輩たちの区別がつかない」と困っていましたね。

就職すると、まずは会社の人たちの名前と顔を一致させることが急務なのですが、全員がマスクをしていると、これも至難の業です。素顔を覚えていればマスクをしても見分けられますが、最初からマスクをしていると、素顔がわからないからです。

ここで大事なことは、相手の目を見ることです。一般論としては、会話しているときに相手の目をずっと見ていると緊張感が生まれ、相手に失礼になってしまいます。

でも、相手の目をしっかりと見て、「この人はどんな人なのだろうか」と想像を巡らしてみてください。「目は口ほどにものを言い」という言葉があります。目は雄弁なのです。

相手がマスク越しに発言するとき、落ち着いた目をしていれば、その発言は信用に足るでしょう。でも、相手の視線がキョロキョロと彷徨《さまよ》ったら、要注意です。相手は、自分の発言に自信を持っていないのでしょう。

こうして「目を見る」経験を積んでいくと、「人を見る目」が養われます。みんながマスクをしていたころには、新入社員にとってはマイナスに思えたことでも、気の持ちようではプラスにもなりうるのです。

コロナ禍で卒業式を迎え、社会人となった大学生たち
（写真：昭和女子大学提供／ 22 年 3 月 16 日）

就職すると、早速企業研修が始まります。これまでの新人研修ですと、昼間の研修が終わった後、先輩に連れられて飲みに行き、そこで先輩の「武勇伝」を聞かされるというのが定番でした。

こういう場合の「武勇伝」の多くは、単なる自慢話であることが多いですから、飲み会がなくなってもがっかりすることはありません。むしろ飲み会がなくなった分、早く帰宅して仕事に関係する本をたくさん読むことです。

特に法学部以外の人は、企業や役所の仕事に関係する法規をしっかり頭に叩き込むことです。また、経済学部以外の人は、経済学の基礎くらいは学んでおいた方がいいでしょう。

日本経済新聞の名物記事に「私の履歴書」があります。功《こう》成《な》り名を遂げた（古い言い回しですね）人たちの新人時代のエピソードは、あなたを勇気づけてくれます。悪戦苦闘したり、逆境に苦しんだりしている人が多いからです。でも、そんな苦しみを経験したからこそ現在があるのだと登場人物はみんな感じているはずです。

あなたもいつしか「いやあ、新人時代は苦労したなあ」と笑って語れる日が来ます。その日を信じて精進してください。

## 時代の行方を考える

働き始める若者だけでなく、就活中の若者にも身につけてほしいことがあります。それは「時代の変化を読み、自分自身の未来を考える」という姿勢です。

たとえば感染症のパンデミックのリスクは今後も無視できなくなりました。ウクライナ戦争が終わる気配は見えず、パレスチナも大変な事態になってしまいました。戦争は遠い世界のできごとではないのです。あなたが働き始める会社、働いてみたいと考えている会社にはどんな影響が及ぶのかイメージしてみてください。

それにしても、世の中は想定外のことばかりが起きていると思いませんか。

2022年2月には、ロシアのウクライナ侵攻というまさかの出来事に驚きました。21世紀の現代に、まるで第2次世界大戦のようなことが再現されるのですから。その影響はいまも続きます。

ロシアのプーチン大統領の蛮行に対し、国際社会ができることは限られています。国際社会が多国籍軍を組織してロシアを攻撃するわけにもいきません。結局は経済制裁で立ち向かうしかありません。

今回のことをきっかけに世界は激動の時代に入りました。国際的な資金決済網である国際銀行間通信協会（ＳＷＩＦＴ）からロシアを追放するなど、国際経済からロシアを切り離したことで、「グローバル経済」は機能しなくなってきています。

温暖化対策には石油や石炭をエネルギーとして使うのを止めなければいけませんが、一気に止めるのは困難。そこで、二酸化炭素が石油や石炭ほどには出ない天然ガスに切り替えようとしていたところ、ロシア産ガスが使えなくなる。これもショックでしょう。

でも、ここでも、ものは考えよう。天然ガスに頼るのではなく、再生可能エネルギーに切り替えることが急務であることを、みんなが気づいたのです。２０５０年までに温暖化ガスの排出量を実質ゼロにするカーボンニュートラルに向けて舵《かじ》を切るいいチャンスなのです。

ロシアに対する経済制裁は、原油価格や小麦価格の上昇をもたらします。つまり経済制裁する側も〝返り血〟を浴びるのです。これは、まさに「民主主義のコスト」でしょう。独裁者が一方的に始めた戦争を止めさせるためのコストを、私たちも甘受しなければならないのです。

これをきっかけに、日本国内でもさまざまな物価の上昇が始まりました。インフレーションです。

かつて日銀の黒田東彦《はるひこ》前総裁は、就任時に「2%の消費者物価上昇を目指す」と発言していました。これは、日本経済をデフレから脱却させ、好景気になった結果の物価上昇を目指すという意味でした。ところがこのところ、景気が悪いままの物価上昇という、いわゆる〝悪いインフレ〟が指摘されるようになりました。

これは「スタグフレーション」と呼ばれます。不景気という意味の「スタグネーション」とインフレーションの合成語です。私が若い頃にしばしば聞かれた言葉です。

若い人たちには、おそらく未知の経験であろうインフレーション、あるいはスタグフレーション。

これまた大変な経験をすることになりますね。

人々の行動様式も、デフレとインフレでは様変わりします。人々の行動の変化に注目することで、「人間とはどういうものか」への洞察力が深まるのです。

そして今でも大きな影響が残っている米国銀行・シリコンバレーバンクの破綻。この影響は米国内にとどまるかと思いきや、欧州にも飛び火。スイスの金融大手クレディ・スイス・グループを同国最大手UBSが救済合併することになりました。

世界的に金融不安が広がると、金融システムが相対的に安定しているとみられた日本買いの動きが出て、円安が一転して一時的にではあれ円高に動きました。

一般論で言えば、米国の金利が上昇し、日本の金利はほぼゼロが続いているのですから、日米の金利差で円安・ドル高が続くはず。それが、世界的な金融不安で円高に振れました。また、一般論で言えば、金利の上昇は、低金利で収益に苦しんでいた金融機関にはプラスになるはずですが、融資先が見つからずに債券を大量に買い込んでいた金融機関にはマイナスに作用してしまいました。

さらにはSNS（交流サイト）の威力の恐ろしさ。シリコンバレーバンクの経営に不信感が生まれると、その情報がSNSであっという間に拡散。ネットバンキングを利用した大量の預金流出に見舞われた銀行は万事休すとなりました。

こんな想定外ばかりの社会に、あなたは出ていくのです。武者震いしますよね。それとも、その身体の震えは怯《おび》えでしょうか。

身体が震えても、心まで震える必要はありません。社会に出る準備が不十分だと感じたら、これから勉強すればいいのですから。国際情勢に関しても経済についても、学べるチャンスはいくらでもあります。

日経新聞の記事には、最近「リスキリング」という言葉が頻出します。リスキ

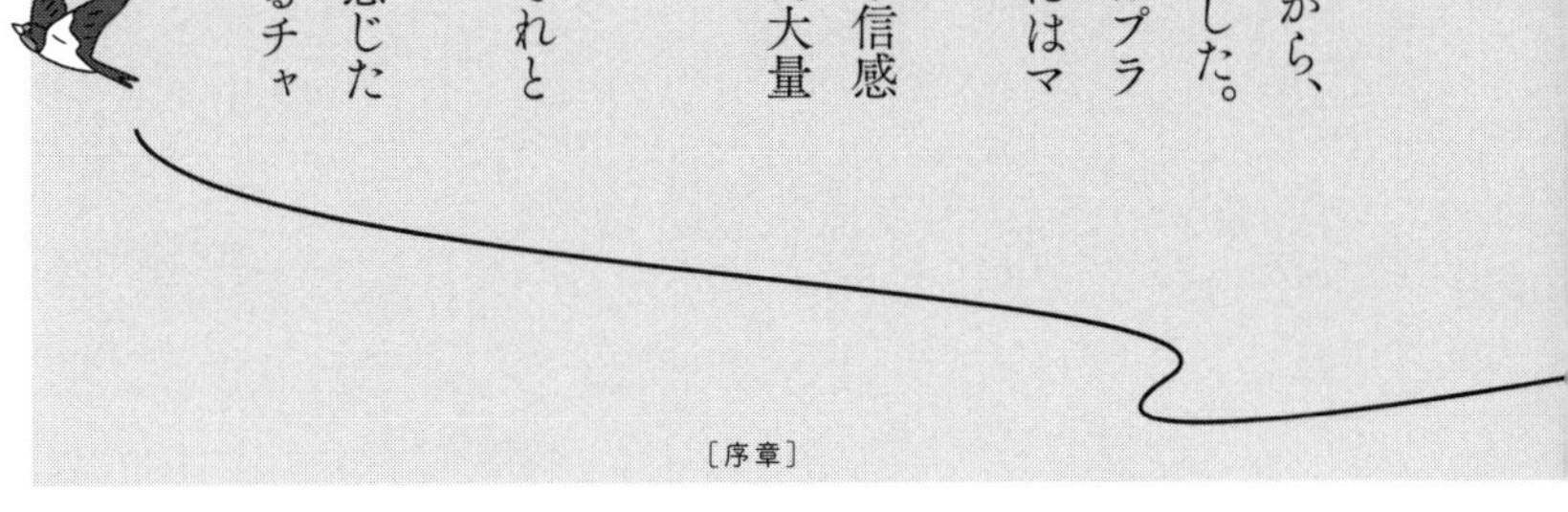

リングは、「新たにスキルを身につける」という意味で、中堅の社員やリタイア間近の人にとってのことのように思われがちですが、そんなことはありません。「自分には勉強が足りない」と思っているあなたにも必要なのですよ。いくつになっても学びに終わりはありません。

新入社員にとって最初の勤務は辛いことも多いでしょう。でも、時間を見つけては書店に立ち寄ってください。勉強不足だと自覚して書店の棚を見ていくと、今の自分に必要な書籍に巡り合うものなのです。

実に大変な時代に社会人になるのです。でも、大変な時代だからこそ、それを好機と捉える気構えを持って社会に出てください。

荒波打ち寄せる社会にようこそ。

［第1章］

# 「学びの本質」とはなにか

私は毎年４月、東京工業大学の新入生向けに、「大学で学ぶこと」をテーマに話します。自ら問い、考え、仲間と議論を深めるという、学びの本質とともに、自分の頭で考えるために必要な教養について、私の考えを述べます。学生たちに向けられた言葉が多いですが、これはどの世代にも同様のことです。人生１００年時代、学びに終わりはないのです。

# 「忖度」はやめて自分で考え抜こう
# 大学で学び始める君たちへ

## 問いを立て答えを探す

全国の新入生諸君、入学おめでとう。夢や不安を抱いてキャンパスへ通い始めたことでしょう。私も先日、東工大の新入生へ「大学で学ぶこと」をテーマに話をして、学生の疑問に答えました。君たちが自ら学ぶこと、生きていくことについて一緒に考えてみましょう。

私は２０１２年から東工大で教授を務めています。きっかけは、東日本大震災で原子力発電所の爆発事故が起き、大学教授ら専門家のテレビ解説がわかりにくかったこと。専門用語を使って解説した結果、視聴者にはわかりにくくなり、逆に不安が増幅してしまったのです。

このとき、日本には理系と文系の間に深刻な断裂があると感じました。この断裂に橋渡しできないものかと考えていたころ、東工大の先生方から「教授として来ませんか」と声がかかり、お引き受けすることになったのです。

君たちはいままで「生徒」と呼ばれてきましたが、これからは「学生」です。中学校や高校では文部科学省の学習指導要領に沿って、基本的な知識を身につける目標がありました。授業で教えられる事柄を正確に理解し、覚えればよかったのです。

大学には学習指導要領はありません。そ

コロナ禍で東工大生に講義する池上さん
（東京工業大学大岡山キャンパス　22年春／写真：同大提供）

れぞれの専攻分野で、自ら問いを立て、その答えを探していかねばなりません。

東工大では、2016年のノーベル生理学・医学賞を受賞された大隅良典《おおすみよしのり》栄誉教授のような最先端の研究や理論に接することができます。ただし、中には学界の少数派だったり、やがて消えてしまったりする研究もあるかもしれません。

つまり、最先端の分野では、大学の研究や理論を鵜《う》呑《の》みにすることはできないのです。まずは教授の話を素直に信じるのではなく、講義室では批判精神を持つことです。教授と繰り返し議論し、質問をすれば、新たな気づきを生むかもしれません。

講義室や研究室では、忖度《そんたく》しないでください。この言葉は「その場の空気を読み、相手の立場を推し量り、頼まれてもいないのに自ら行動してしまうこと」とでも説明できるでしょうか。実に日本的な言葉です。外国人記者らが訳せないと言うこともうなずけます。

この「忖度」と呼ばれる態度こそ、日本の受験教育の弊害でしょう。難関校を突破する、効率的な解答テクニックを身につけようと、子どものころから出題者の意図を素早く読み取る技術に、皆さんは磨きをかけてきたのではないでしょうか。大学に入ったら、もうこういう態度はやめましょう。

では大学で学ぶ目的とは何か。ここ数年「社会や企業で役に立つ大学」というテーマが話題になります。「役に立つ大学」とは、即戦力になるような技術やスキルを身につけた学生を送り出すことなのでしょうか。

一般的に、大学は入学から学部卒業に4年、修士課程を出るなら合計6年が必要でしょう。現代のように、これだけ経済情勢の変化や技術革新が著しいと、そんな数年も先を見据えて特定の分野を学び、究めるには時間が足りないのです。

そこで注目を集めているのが「リベラルアーツ教育」と呼ばれる取り組みです。学生が専攻以外にも学びの領域を広げ、議論を深めながら、「自らの頭で考え抜く力」を養う狙いがあります。理系の東工大でも戦後、積極的に力を入れてきた歴史があります。２０１６年からはすべての新入生が参加する「東工大立志プロジェクト」という新たな試みもスタートしています。

以前、欧米の大学を視察して意外な発見がありました。理系学生が熱心に芸術に親しんでいたこと。学部で経済学は学んでも、ビジネスに役立つ経営学は大学院でという指摘もありました。とりわけ米マサチューセッツ工科大学で聞いた「最先端科学はいずれ陳腐化する。すぐ役に立つことはすぐに役に立たなくなる」という発言は衝撃的でした。

日本でもかつて慶應義塾長を務めた小泉信三が、同様の発言をしていたことを思い出したからです。古今東西、道を究める人々の価値観というのは、変わらないものなのですね。まさしく目からウロコでした。

君たちもやがて社会へ巣立つ日が来ます。少なからぬ学生が研究者や技術者となるのでしょう。東工大で教授を務めてきた経験をもとにアドバイスするとすれば、将来起こりうる変化に耐えられる力、自ら課題を乗り越える力を養っておくことではないかと思います。その力を養い、鍛えるには「自らの頭で考え抜く」という経験を積み重ねることが大切です。

## 環境変化を乗り越えれば飛躍

就職活動が本格シーズンを迎えると、時折、学生たちの人気企業ランキングが報じられます。戦後、大学生たちの人気企業というのは、エネルギー革命や技術革新によって大きく移り変わってきました。そして外部環境の変化を見事に乗り越えた日本企業は大きな飛躍を遂げています。

たとえば東レや三菱レイヨン（２０１７年４月から経営統合を経て三菱ケミカルに）。いまや航空機や車両に用いられる炭素繊維などの新技術で大きな世界シェアを握っています。富士フイルムは写真用フィルムが売れなくなる中で、医薬品や素材分野など新領域を切り開きました。それを支えてきたのも人なのです。

人生は明確な正解のない難題ばかりです。君たちが自ら問いを立て、答えを求めて学ぶことは、やがて人生の岐路に立った時に答えを出す力にもなるでしょう。

## 対話で視野を広げる「いい質問」をする会

### 考えるきっかけをつかむ

東工大では定期的に学生を対象とした「池上彰先生に『いい質問』をする会」が開かれます。その第4回では、「なぜ学ぶのか」がテーマとなりました。

質問　授業でものを教わることに罪悪感を覚えます。自分で考える力が落ちるのではないかと考えているからです。人からものを教わることは悪いことでしょうか。

池上　そういう疑問は、東工大生ならではでしょうか。決してそんなことはありませんよね。独学も大事ですが、もしかしたら間違った方向に進んでいるかもしれません。大学にはさまざまな分野で学び、研究をしてきた多くの教授陣がいます。大学では教授陣の話を聴き、新たな発見をしたり、軌道修正をしたりするとよいでしょう。

もちろん、先生方の言うことを鵜呑みにする必要はありません。自分の頭で考えることが大切なのです。大学では自らが考えるきっかけをつかむことがとても大切です。

質問　池上先生は若い時期に孤独を感じることが大切だと話されました。なぜそのように考えるようになったのですか。また、相反するような意見や考え方でも、どちらも正しいと思えることがあります。得た知識をどう生かしていけばよいでしょう。

池上　東工大立志プロジェクトでの講演で聞いた話ですね。私が１９６９年に大学に入学したときは大学紛争の真っただ中でした。ストライキがあってキャンパスが封鎖され、授業もありませんでした。いま考えれば一人で本を読み、考え抜いた時間は、学ぶ姿勢を身につける貴重な経験だったのです。

　読書をしていると、同じテーマでも考え方の異なる主張や指摘を知ることがあります。それぞれに「なるほど」と感じることがあります。どちらかに結論づけるのではなく、そう感じたり、判断したりしている自分に気づけば、それでよいのです。そこから新たな視点を増やし、考えを深めていくことができるのです。

## 人としてのモラルが問われる

質問　科学技術は私たちの生活を豊かにしていると思う一方で、サイバー攻撃や兵器などにも使われ、平和や安全を脅《おびや》かすという側面もあります。科学技術の開発は喜ばしいことでしょうか。

池上　まさに理科系の東工大生に考えてほしいテーマです。科学技術にはそうした両面があります。研究に携わる若者たちには、「この研究が果たして本当に必要なものなのかどうか」という視点を忘れずにいてほしいと思います。

科学者である前に人としてのモラル、人間性が問われます。君たちが入学直後に参加した東工大立志プロジェクトは、学びや研究の意味を考えるきっかけにする狙いがあったのです。

質問　先生は「自由」をどのように定義されますか。リベラルアーツと教養の違いは何でしょうか。

池上　私の視点で言えば、自由とは何ものにもとらわれない心のあり方、行動様式のことをいうのではないかと思います。「こうあるべきだ」という固定概念に縛られず、歩んでいくことが大切なのです。

「リベラルアーツ」とは自由に生きるための学び、技法を意味しています。一方、「教養」は「修養」に通じるかもしれません。人間としての学び、常識に近いでしょう。この二つのキーワードは重複する部分、共通点があると思います。

そして、学生たちは、考えたことを仲間同士で話してください。異なる意見を知り、共感を覚える経験が視野を広げてくれるでしょう。

# 自らに問い、答え求めて

## 学問は人々の幸せのために

では、君たちは何のために大学で学ぶのでしょう。理科系の学生であれば、研究や実験を繰り返すのはなぜでしょう。文科系の学生であれば、なぜ知識や経験を身につけ、視野を広げるのでしょう。

私なりに解釈すれば、研究や学びは人々の「豊かな暮らし」に役立つからだと考えています。単に個人の興味や関心を満足させるためだけではありません。新しい商品やサービスを開発し、人々の暮らしに届け、「幸福」につなげることが大切なのではないかと考えています。

大学では、将来のノーベル賞につながるような研究に接することができるでしょう。ただし、過信しないでください。最先端の研究であっても、学界の少数派だったり、やがて消えてしまったりするかもしれません。

講義室では批判精神を持ち、教授や仲間と繰り返し議論をしてください。講義は聞いているだけではダメなのです。だからこそ、大学では「自ら問いを立て、答えを探し求める」ことが求められます。

これからあなたが漕《こ》ぎ出す長い人生の航路では、明確な正解を見つけることができない難題に出くわすこともあるでしょう。あなたが大学生活で自ら問いを立て、答えを求めて学ぶことは、予期せぬ人生の岐路に立ったときに答えを導き出す力になってくれるはずです。

視野を広げ、見聞を広げるためにも、ぜひ読書に時間を割いてください。大学４年間で目標１００冊といったところでしょうか。日々の生活で、時にはスマートフォンから目を離し、落ち着いて考える時間を習慣にしてみてください。

## 学び直しが長い人生に備える力を育む

### 若い世代にも貴重な経験に

社会人の学び直しなどを意味する「リカレント教育」をテーマに考えます。「学び直し」

はシニア世代だけでなく、現役世代にとっても重要で、新しい仕事を始めたり、日々の生活を豊かにしたりするためのキーワードになっています。

いまや「人生１００年時代」と呼ばれるようになりました。学び直しというと、どうしても時間とお金に余裕のあるシニア層のテーマと思われがちですが、決してそうではないのです。

以前、「リカレント教育」をテーマにした大学でのシンポジウムに参加する機会がありました。そこで、子育てなどのために仕事を辞めて家庭に入った後、改めて大学で学び直して就職し、社会へ出た女性の体験談を聞くことができました。参考になるポイントがありましたのでご紹介します。

女性たちが大学で学び直しをした効用は、再就職のチャンスをつかんだことだけではありません。大学の講義に出席して友人が増え、交流の輪が広がったことで、将来について意見を交わす場を持てるようになったそうです。身の回りに同じ悩みを持つ仲間がいることは、相談相手にもなり心強いでしょう。

また、久しぶりに学び、外の世界を知ることで、会話が広がり、心にゆとりが生まれたといいます。育児と家庭を支える役割は重く、想像を超えるプレッシャーを感じていたはず。家庭の理解も得て大学へ通うことによって、自らの視野を広げるチャンスをつかんだのです。

女性たちのこうしたエピソードを聞き、実に素晴らしい体験をしたのだと思いました。たとえば30代、40代、50代へと人生経験を積んだからこそ、学び直しによって見えてくるもの、感じ取れるものがあります。

## 働けることは生きがいのひとつ

私は長年の記者生活からテレビでニュースを読むキャスターに転じ、その後、子どもたちにわかりやすく国内や海外のニュースを解説するＮＨＫの「週刊こどもニュース」を担当しました。書くことと、話して伝えることは全く異なる技術が必要でした。

当時の私にとっては、大きな環境の変化でした。「どうしたら視聴者にわかりやすく伝えることができるのだろうか」。新たな手法を学ぶため、試行錯誤の日々でした。あのときの体験があるからこそ、いまがあるのだろうと思います。

人生の生きがいのひとつは、自ら働き、生活の糧《かて》を得ることだろうと思います。健康で意欲が続く限り、何歳になっても働くことが生きがいになるのです。自らの役割を果たす機会を広げる上でも、学び直しは大事なステップになるでしょう。

# 知への好奇心は若さの源

## 大学でシニア層の学生を見かける

私たちは何歳になっても、学ぶ意欲があれば、新しい世界や仕事の機会を広げられるでしょう。私の経験なども踏まえ、学び続けることについて考えてみます。

いま、ジャーナリストとしての活動の傍ら、東京、名古屋、長野の大学を中心に講義を受け持っています。教室を眺めていると、学び直しのために大学の講座を受講している何人ものシニア層の学生を見かけます。最近は若者たちと一緒に、朝から熱心にメモを取る姿も珍しくなくなってきました。とても素晴らしいことだと思います。

若者たちにとって学ぶことは、どちらかといえば重荷に感じる経験かもしれません。学校の定期試験や入学試験、入社試験といった「正解」が問われる経験の方が多いからです。

それに、働き始めてからも、業務に必要な資格試験や英語能力試験に備えた学習もあるでしょう。大量に情報や知識を習得することばかりで、そもそも学ぶことの意味を考える余裕などないかもしれません。でも、働き始めてからも大切にしてほしいことがあります。

私は54歳のとき、報道記者として勤めてきたＮＨＫを退職しました。一人のジャーナリストとして、取り組んでみたいテーマについて取材し、本を書きたいという夢があったからです。ＮＨＫでは社会部で事件や災害などを取材してきたので、異なる世界の視野を広げようと、自費で大学の社会人向け講座にも通いました。

たとえば外国為替の現場やエクセルを使った金利計算、あるいはアジア各国情勢などを学びました。

大学は経済学部出身で理論中心に学んだので、実際の経済活動を知ることはとても刺激的でした。

自費で海外へも取材に行きました。ちょうど、イランの核開発疑惑が表面化したときでした。専門家の話を聞き、現地を取材したことが、中東の歴史や民族について理解を深めるきっかけになりました。このほかパレスチナや旧ユーゴスラビアなども取材で訪ねました。

## 移動時間も積み重ねれば貴重な学びの時間に

時間やお金をかけて、行きたかった国や地域を訪れるという経験は、ＮＨＫに勤務していたころにはできなかったことです。生活のことを考えれば、大きな組織を離れることはとても勇気がいることですが、新しい挑戦への一歩は、その後の人生の可能性を大きく広げてくれました。

いま振り返ると、NHKでの記者時代にも、新しい人生の一歩を踏み出す際に役立った大事な学びの体験がありました。それは、記者会見までの時間や重要人物が帰宅するまでの時間など、日々の記者活動のすき間をうまく使って、読書や英語学習の時間にあててきたことです。

読書を続けていれば、自分の知らない世界を広げたり、教養人たちの考え方を学んだりすることができます。英語学習にはラジオ講座のテキストのような、できるだけページ数の多くないものを選びました。テキストは厚くない方が、学習は長続きするものです。今の時代であれば、ＹｏｕＴｕｂｅなども活用できるでしょう。

１日の中でみれば10分、15分といった短い時間かもしれません。でも、何日も、何年も積み重ねれば、とても長い時間になります。人間の集中力は一度に何時間も続くものではありません。集中して繰り返せば、貴重な学びの時間にあてることができるのです。おかげで、海外取材で必要な、基本的な英会話力を養うことができました。

人生の先輩としてこれらの体験からいえることは、学ぶことは自分の知らない世界を知り、自らの人生を広げてくれるきっかけになるということです。何歳になっても、テーマを問わず「学びたい」「知りたい」という好奇心を持ち続けることができれば、それはきっと心の若さをもたらしてくれるでしょう。

この項の最後に、有名な詩の一部をご紹介します。いつまでも若くありたいと願う人々が愛してきた詩です。

「青春とは人生の或る期間を言うのではなく心の様相を言うのだ。（中略）年を重ねただけで人は老いない。理想を失う時に初めて老いがくる」（サミュエル・ウルマン　岡田義夫訳『青春』）

## 情報を読み解く力を磨こう

### 視野を広げるチャレンジ

私がジャーナリストとして活動してきた経験からいえることは、本気で学ぶには、自らお金を使わなければ身につかないということです。要は、自分への投資です。お金をかけた分、真剣に知ろう、考えようという気持ちになります。理解が深まれば、新たな疑問や関心も芽生えてきます。

ＮＨＫ時代、取材して記事を書くだけでなく、「週刊こどもニュース」の番組づくりを体験し、わかりやすく解説をする経験も積みました。その技術を磨き続ける上で大切なことがありました。それは執筆や解説を意識しながら、情報を集めたり、蓄積した情報を更新したりする日々の努力が欠かせないということです。

私は現在、新聞11紙に目を通すようにしています。NHKを離れた後、自らの情報収集のために多くの新聞を読むようにしていたら、いつしか購読紙が増えていました。大きく日々のニュースの流れを押さえながら、新たな発見をしたり、ニュースを深掘りするきっかけを発見したりする入り口にしています。記事は後に貴重な資料にもなりますから、テーマごとにスクラップして保存しています。

いまの時代はインターネットが普及し、世界のどこでも情報を集められます。政府機関の発表資料や統計データ、海外ニュースなど情報の宝庫です。情報の更新と蓄積は、いわばフローとストックの関係にあたります。

こうした誰もが入手できる公開情報を侮ってはいけません。米中央情報局（CIA）など海外の情報機関が活用する情報の大半は公開情報だといわれています。大事なポイントは情報と情報を組み合わせ、そこからどんな変化を読み解けるかという手法にあるのです。

IT（情報技術）やAI（人工知能）がどんどん進化しています。膨大な情報を瞬時に集め、計算する能力という点では、人間はかないません。でも、そうした情報にどんな意味があるかと考えることは人間にしかできません。

## 情報の意味を判断するのは人間

膨大な情報からどんな意味を見つけ、新たな変化を予測できるか。それは人間にかかっています。たとえば、ひとつの情報が別の情報とつながることで新たな意味を持つことがあります。

大切なことは、こうした地道な作業の積み重ねです。たとえるならこんな思考のイメージでしょうか。一つの点が別の点と結び付いて一本の線ができ、その線を増やしていくと面が描けるようになる。そして、いくつもの面を描いている途中で、ひらめきのような立体が浮かんでくる。

私が歩んできた報道の現場と、あなたが働く世界は違うでしょう。でも、企業が消費者や利用者として想定している対象が人間であることに変わりはありません。

だからこそ、人々がいまどんなことに関心

思考のイメージ

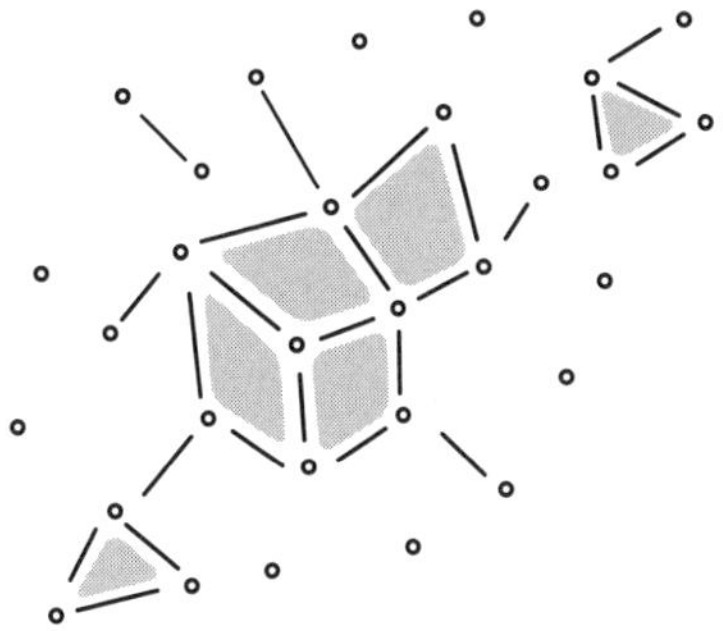

点と点が結びついて線となり、面となっていくように、さまざまな情報が結びつき、別の意味を持っていく

を持っているのか、世の中の変化に敏感でいるためには、情報感度を磨く工夫が欠かせないのです。アンテナを張るとはまさにこのことです。

私は1年のうち、年の前半は複数の大学で教授として講義を受け持ちます。年の後半はジャーナリストとして主に海外での取材活動が中心になります。何歳になっても、好奇心を持ち、発見し、伝えていくために必要なチャレンジです。

# 「知らないこと」に気づくため学び続ける意味

## 90の国と地域を訪れてきた

先日、パスポートを眺めていたら、取材などで90の国と地域を訪れていたことがわかりました。１００カ国・地域を超えるのはなかなか難しそうですが、実際に現地を歩いて改めて気づくさまざまな発見がありました。

たとえば２０１８年5月にイスラエルを訪れたときのこと。取材スタッフらとステーキレストランでのランチをして、デザートにアイスクリームを頼んだのです。すると店員から「アイスはありません。くだもののシャーベットならありますが」との説明がありました。

そのときユダヤ教の戒律を思い出しました。ユダヤ教には「子やぎを、その母の乳で煮てはならない」という教えがあるからです。これは牛にもあてはまります。ステーキと乳製品のアイスクリームの組み合わせは厳禁なのです。特に海外では気をつけたい基本的なマナーとして知っておくとよいでしょう。

また、ユダヤ教では金曜日の日没から土曜日の日没まで安息日（シャバット）にあたります。この間、火をつけたり、電気のスイッチを入れたりすることも許されません。そこで現地のホテルやマンションには独特の設備があります。

操作ボタンを押さなくても、各階で自動停止する「シャバットエレベーター」があるのです。とてもゆっくり動きますが、すぐに慣れます。

そして、どのホテルにもシェルターが完備されていました。度重なる中東戦争の経験から、ミサイルが飛来してくる危機に備えているのです。

## 事実には忠実に

こんなことを知ると、日本の読者や視聴者に伝えたくなります。私は子どものころ新聞記者を目指していました。結局、ＮＨＫに入りテレビ報道に携わることになりましたが、いまも発見したことを映像や活字で伝え続けることにやりがいを感じています。

視聴者や読者にわかりやすく伝え続ける上で大切にしていることがあります。言葉の表現や映像の使い方を工夫することはもちろんですが、伝える側が専門家になったつもり、自分がわかったつもりに陥《おちい》らないようにしていることです。

ジャーナリストの基本というのは、常に事実に忠実でいなければならないということです。ニュースの現場に入り、関係者を含めてより多くの人々の声に耳を傾けなくてはなりません。それはテレビでも、新聞でも同じなのです。

どんな仕事でもキャリアが長くなってくると、どうしても「知らない」とは言いにくくなるかもしれません。しかし、知らないことに出くわしたら、素直に質問をすればよいのです。そして、自分自身が知らないということに気づくためにも、学び続けることが大事なのですね。

大学の講義では、よく「諸君は生徒ではなく学生になった」と説明します。高校までは先生の解説をノートに筆記し、覚えればよかったでしょう。でも大学では自ら問いを立て、その答えを探し求めなくてはなりません。そこが大きな違いなのです。

大学ではそれまでは知らなかった新しい世界や専門領域を知ることができるでしょう。その際、自分の「無知」を素直に受け入れられるかどうかが大きなポイントです。それは学校を出て、社会で働くようになってからも大切な姿勢です。

ぜひ、試験だけではなく、自分の人生のために学び続ける力を育んでほしいと思います。

## 学びをとめず 世の中の役に立つ「財産」を築く

### パレスチナ難民キャンプでの一言 「特別扱いは子どものためにならない」

中東のヨルダンにあるパレスチナ難民キャンプを取材したときのこと。別れ際、中学生の少女が「勉強するために参考書が欲しい」と言うではありませんか。

そこで、その子に参考書代を渡そうとしたら、難民キャンプの子どもたちを世話している人たちに止められました。

「特定の子どもを特別扱いすれば、ほかの子どもたちからいじめを受けるかもしれません。決して子どものためにはならないのです」

パレスチナ難民は国連パレスチナ難民救済事業機関（ＵＮＲＷＡ）が支援しています。第１次中東戦争で家や故郷を失った難民はおよそ70万人でしたが、その後、難民は増え続け、現在では５６０万人の世話をするまでになりました。

難民キャンプはひとつの町の規模に匹敵します。そこに暮らす人々は、家族が増え、高齢化が進み、生活習慣病が大きな問題になっています。大人たちがキャンプの外に働きに出ることは難しく、子どもたちも将来を見通せない閉塞感のなかで暮らしているのです。

また、アフリカのジブチにあるソマリア難民キャンプを訪れたときにはこんなことがありました。キリスト教系の非政府組織（ＮＧＯ）がボランティアによる英語の授業を開いていて、多くの子どもたちが学んでいました。

かつてジブチはフランスの植民地だったのに、なぜ英語による授業なのか。不思議に思いＮＧＯの担当者に尋ねました。答えは簡単でした。

「フランス語を覚えたらジブチにとどまってしまうでしょう」

難民が定住し、将来、地元の雇用が奪われかねないことをジブチ政府が危惧しているからです。

## 教育とは盗まれることのない財産

「医師になって人々を助けたい」

このキャンプで中学生くらいの少女が私に訴えかけました。

「将来、医師になって人々を助けるのが夢です。だから高校をつくってほしいのです」

私たちには何もできない無力感が募りました。その真剣なまなざしをいまも忘れることはできません。

戦争や紛争、宗教や民族の対立、政治経済情勢の悪化などで、海外に助けを求める難民は後を絶ちません。世界には依然として厳しい現実があるのです。決して同情だけでは、この問題の根本的な解決は難しいのです。でも、諦めないでほしいと思います。

将来、海外でのボランティア活動に参加したり、国連のような国際機関で働いたりしてみたいと考える若者も多いかもしれません。現地で当事者と粘り強く交渉にあたり、協力を求めていく上でも、しっかりと専門知識や語学力を身につけておく必要があります。

いま、大学や高校で学んでいる日本の若者たちは将来の夢を描ける環境にいるといえるでしょう。ただし、この環境は当たり前ではありません。試験のためだけでなく、学べることの意味を改めて考えてみてほしいのです。

以前、フィリピンの貧しい環境に育ち、ボランティア団体の支援で教師になった青年に話を聞いたことがあります。彼は学ぶことについて、こう教えてくれました。

「教育とは決して盗まれることのない財産です」

日本の学校で学んでいる、あなた。社会人として、日々学び続ける皆さん。あなたは「財産」を貯《た》めつつあるのです。貯めた財産を、世のため人のために役立ててください。

# 「人間としての判断を」

## 会社の利益か、人としての良心か

あなたに考えてほしい問題があります。日本社会が高度経済成長の陰で、水俣病など四大公害病と呼ばれた取り返しのつかない社会問題を生んだことです。原因究明までには長い時間がかかりました。多くの被害者を出し、今も健康被害に苦しんでいる人々が大勢います。

東工大は水俣病の問題と深いかかわりがあります。水俣病の原因について、熊本大学医学部は化学工業メーカーのチッソの廃水に含まれる有機水銀が原因だと発表しました。すると東工大のある教授が貝に含まれる成分と関係があるというアミン説を唱えたのです。二つの原因説を前に当時のマスコミは判断に迷いました。どちらが正しかったかは、現在では明らかです。

そして、原因企業だったチッソの社員は当時、工場と公害の関連性について気づいていなかったのでしょうか。将来、あなたが「会社の利益か」、それとも「人としての良心か」、問われる場面があるかもしれません。決して他人事ではないのです。

この話をしたときに、学生から寄せられた質問も紹介します。

**質問**　内部告発で不正が暴かれ、正されたケースはありますか。

**池上**　内視鏡などの世界的メーカー、オリンパスのケースが有名です。バブル期の巨額損失を表面化させないために、実態とかけ離れた事業買収などを行って、決算を不正に処理していた事件です。社内の実力者が長年、経営を支配してきた弊害ともいえるでしょう。

**質問**　会社の不正に対して、社員が「黙っている」か、「告発する」ほかに、選択肢はありますか。

**池上**　社員が見つけた、不正の根拠と考えられるデータをテレビや新聞などメディアに送り、責任を追及してもらうこともできるでしょう。あるいは専門家に協力を仰ぐという手段もあるでしょう。

最近は内部通報制度によって、告発者が保護される仕組みもできました。会社は不祥事が発覚して一時的に信用を落としても、技術力があり、信用回復への取り組みに力を入れれば、立ち直ることができると思います。

これからの学びとの関連でアドバイスするとすれば、将来起こりうる変化に耐えられる力、自ら課題を乗り越える力を養っておくことが大切ではないでしょうか。

その力を鍛えるには、繰り返しますが、「自らの頭で考え抜く」という経験を積み重ねることです。「なぜ学ぶのか、どう生きるのか」という志を育み、持ち続けてください。そして、より良き人生を歩むための選択をしてほしいと思います。

# 統計データの大切さを考える

## 「平均」という数字の魔術

日本の１世帯当たりの平均所得は５６０万２０００円（所得の対象期間は平成28年。厚生労働省調査）だそうです。

この数字は、あなたの実感から見て、納得できるでしょうか。「なんだ、自分の家庭は日本の平均より低いのか」と、がっかりした人もいるでしょう。

でも、ここには数字の魔術があります。「平均」という概念です。米国には、こんな小話があります。

〝経営者たちが集まっている部屋にマイクロソフト創業者のビル・ゲイツ氏が入ってきた途端、その部屋の人たちの平均所得は急上昇した〟

所得の高い人が少数でもいれば、平均所得は上がってしまうのです。

こういうときは「中央値」の数字も見ましょう。こちらは、日本の1世帯当たりの所得を高い順に並べ、その真ん中の人の所得を調べるのです。

これだと、先ほどのデータの中央値は442万円に下がります。これなら納得という人もいることでしょう。「平均」という概念は、注意深く見ていかなければならないのです。

ここで言いたいのは、2018～19年に発覚した厚生労働省の「毎月勤労統計」の調査が正しく実施されていなかった問題です。

従業員500人以上の大規模事業所については「全数調査」をしなければいけなかったのに、3分の1だけ抜き出して調査していました。

従業員500人以上の企業は、最低従業員の500人から最高は十数万人に及ぶものまであります。そのうちの3分の1しか調べなければ、全体を代表したものになりません。大きな誤差が出ます。

一方、５００人未満の事業所に関しては抽出調査をしていますが、５００人以上の企業ほど従業員数の違いが極端ではないので、誤差は大きくならないのです。

従業員数５００人を境に、それより少なければ抽出調査、多ければ全数調査にしていた意味を理解しないまま調査が漫然と続いていたからこそ、今回のようなことが起きたのでしょう。身の周りのデータがどのように出されたもので、それをどう見るかが重要なのです。

## 身の回りにあふれる統計

平均所得の数字を使って、「日本人の世帯所得は高い」という主張もできる半面、中央値の数字で「日本人の所得はまだまだ」と言うことも可能です。

統計の数字は、私たちの身の回りにあふれています。毎朝の天気予報で出される「降水確率」。あなたは何％になったら傘を持って出るでしょうか。日本気象協会の知人は、「30％だったら折り畳みの傘を持って出る」と言っていました。あるいは、「首都直下地震」が今後30年以内に起きる可能性は70％と聞いたとき、「発生するのは30年後」だと思い込んではいないでしょうか。

私が働いている放送業界でも、毎回視聴率のデータが送られてきます。たとえば関東で調査対象になっているのは、わずか９００世帯。この世帯を対象にした抽出調査ですから誤差が出ます。

視聴率が9・9%と10・0%では有意差（意味のある違い）はありません。それでも2桁の大台に乗ると嬉しいものです。

そんな数字に振り回されている放送業界の人たちを見ると（自分もその一員なのですが）、統計に対する正しい認識の大切さを痛感します。

統計学は理系の学問に分類されますが、文系の人たちにも正しく理解できる能力が求められます。まさに「文理融合」が必要なのです。

# 疑うことから始めよう

## 学生たちは教授が考える正解を探している

私は2012年から東工大でニュースの視点を大切にしながら現代史を教えてきました。その中で気づいた、ある問題意識があります。それは、「学生たちは教授が考えている正解を必死になって探しているのではないか」という疑問です。

大学での中間のリポート試験でのことです。ブータンが国民の幸せの尺度として取り入れている「ＧＮＨ（国民総幸福量）」をテーマに、論述してもらいました。ＧＮＨとはお祈りや瞑想《めいそう》の時間、地域の祭りへの参加など、ブータンが幸せの尺度として重視しているものです。

ほとんどの学生たちが８００文字の中で、大切だと考える例を選び出して考察してくれました。自分なりの価値観や視点で書いてくれてもよいのですが、私が考えている結論をイメージして、一生懸命に答案を書こうとしている姿勢を感じてしまいました。

私が期待したのは、出題そのものに疑問を投げかけてほしかったということです。つまり、幸せの尺度というのは主観的で、感じ方は人それぞれだからです。２人の学生が出題自体に疑問を投げかけてくれました。もちろん高く評価しました。

どうして結論ありきなのか。受験教育の中で、選択肢から効率よく正解を見つけ出す技術を学んできた弊害ではないか。いつの間にか、出題者の意図を探る「空気を読む」姿勢を身につけてしまったのではないでしょうか。

そうだとすれば、実に残念なこと。講義室や研究室では、忖度《そんたく》しないでほしいのです。この忖度といわれる態度こそ、実に日本的で、受験教育の弊害だと考えます。

自らの経験をもとにアドバイスするとすれば、将来起こりうる変化に耐えられる力、自ら課題を乗り越える力を、若いうちに養ってほしいのです。

人生は明確な正解のない難題ばかりです。自ら問いを立て、答えを求めて学ぶことは、やがて人生の岐路に立ったときに答えを出す力にもなるでしょう。

# 大学授業はコマ数を減らし予習重視に

## 大量の本を読む

米国の大学の講義の特徴のひとつは、事前に学生に大量の本を読ませることです。分厚い専門書を毎回数冊指定し、講義までに読ませます。講義は、その本をもとに進めます。学生同士に議論させたりもします。

これを私も実現したい。こう考えて東京工業大学以外の複数の大学で、２０２２年から実践しています。２０２３年もある大学の夏の集中講義で、この形式を取り入れました。

集中講義は、５日間かけて毎回１００分の授業を計14回実施します。つまり最初の４日間は毎日３コマの講義です。毎回１冊ずつ文献を指定し、読んできたことを前提に学生たちと議論しました。テーマは「科学技術と現代社会」。

これを論じるために選んだ文献は12冊。『未来の科学者たちへ』（大隅良典、永田知宏著、ＫＡＤＯＫＡＷＡ）や『テクノロジーの世界経済史』（カール・Ｂ・フレイ著、村田章子、大野一訳、日経ＢＰ）、『賢い人がなぜ決断を誤るのか？』（オリヴィエ・シボニー著、野中香方子訳、日経ＢＰ）、『なぜ理系に女性が少ないのか』（横山広美、幻冬舎新書）、『失敗の本質』（野中郁次郎他著、中公文庫）など、いずれも歯応えのあるものばかりです。

　学生たちにしてみれば、毎日こうした本を読んでいなければ授業に参加できないのですから大変です。おそらく準備のために夏休みがつぶれたのではないかと思います。

議論がしやすいように定員は50人。希望

池上さんは複数の大学で講義を行い、学生との対話を大事にしている（写真：BSテレ東提供）

者を抽選で絞ったのですが、初日に出席した学生は、そのうちの35人でした。残りの15人は、おそらく指定文献を読み切れずに脱落したのでしょう。

それでも35人が生き残ったと思いながら講義を続けていると、どうやら本をきちんと読まずに出席している学生がいることに気づきます。なにせ指定文献を持参していないのですから。

そこで途中から「本は必ず読み、持参するように」と注意したところ、翌日から出席者は25人に激減しました。どうもその日の文献を読めなかった学生たちが欠席したのでしょうね。

## 「脳が汗をかく」体験を

出席する学生の数が減れば、それだけ発言のチャンスも増えます。初日には緊張していた人たちも、次第に議論に溶け込み、活発な議論が展開されました。こんな経験は初めてなのでしょう。

先ほど米国の大学では大量の本を読ませると言いましたが、それが可能になるのは、1週間で出席する授業のコマ数が少ないからです。おおむね4コマ程度でしょうか。ですから何とか読みこなせるのです。

その点、日本の大学は毎週出席しなければならないコマ数がはるかに多いのです。そんな状況下で大量の本を読むように指示するのは酷《こく》でもあります。日本の大学も、1週間に出席しなければならないコマ数を減らし、その分しっかり事前の勉強をしてもらうというやり方に変えてもいいのではないかと思うのです。

でも、たまには「脳が汗をかく」ような経験をしてもいいのではないでしょうか。

5日間の講義が終わり、筆記式の試験も終わった後の学生諸君の顔は達成感があふれています。こんな顔を見ると、こちらもやりがいを感じます。彼らには、忘れられない経験になったことでしょう。

かくいう私も、事前に読んでおいた書籍とはいえ、前日に予習のために目を通すと、内容をすっかり忘れていたことに気づくではありませんか。結局改めて読み直すことになりました。

そして手元にあるのが、学生諸君の答案です。これから読み進めなければならないのですが、さて、学生諸君の学びはどこまで進んだのか。私の講義の展開方法は正しかったのか等々、振り返りながらの採点が始まります。

## 読書で広げる新たな世界

## 10年間の教育改革体験

視野を広げ、発見をするきっかけづくりには読書が大きな力になります。大学の図書館を活用したり、書店を探訪したりして自分だけの本を探してみるとよいでしょう。今回は学ぶことのヒントになりそうな新書を4冊紹介します。

まず『とがったリーダーを育てる』（中公新書ラクレ）です。私が授業を受け持つ東京工業大学のリベラルアーツ研究教育院の教員が執筆陣です。私のほか、前院長の上田紀行教授（当時）、未来の人類研究センター長を務める伊藤亜紗教授です。

理系人材を日本のリーダーに育てていくにはどうしたらよいのか。そんな問題意識を抱きながら、およそ10年間、リベラルアーツ教育改革に取り組んできました。同書は東工大での体験をもとにしています。

執筆陣は目次で、学生諸君にこんなメッセージを

東工大では、新入生は課題図書を読み書評を書くことが通例となっている（写真：東工大提供／22年4月12日）

投げかけています。

教養は必要なのか？「とがる」ために必要なもの、パッションと志のリベラルアーツ教育へ。

なぜ学ぶのかという問いかけは、多くの学生に通じるテーマでしょう。進学を志す高校生にも参考になる1冊です。

続いて『リベラルアーツの学び』（芳沢光雄著、岩波ジュニア新書）です。まさに東工大でも取り組んできたテーマです。

リベラルアーツの起源は古代ギリシャにまで遡《さかのぼ》ることができます。論理学、天文学、音楽など「自由七《しち》科《か》」と呼ばれた学問が基礎になっています。

筆者はリベラルアーツを「広範な諸問題について垣根を越えた複合的な視点からまとめ、そして解決を目指すものである」と説明しています。教員経験をもとに言葉や歴史を振り返り、わかりやすく解説しています。

## 学生のための環境づくりを

いまリベラルアーツはブームのような様相を呈しています。ここで大事なことは学生たちがこの学びを身につけるための環境づくりなのです。

大学ではおおまかに文系、理系の専攻に分かれます。しかし、急速な技術革新や社会の変化に対応するには、文系と理系の双方を学び、理解を深める文理融合の姿勢が欠かせません。そんな視点で読んでほしい参考書籍を紹介します。

まず『文系？　理系？――人生を豊かにするヒント』（志村史夫著、ちくまプリマー新書）です。筆者は大学受験に関係する成績によって文系と理系の進路が分けられているのではないかと問題提起しています。

目次には、何のために勉強するのか、「数学、物理が苦手だから文系へ」という人に、などの言葉が並びます。大事なことは自分自身の学びの姿勢です。改めて考える機会になるでしょう。

続いて『文系と理系はなぜ分かれたのか』（隠岐さや香著、星海社新書）です。同書では文系と理系という考え方が生まれた経緯を知ることができます。筆者が提起するように、この進路分けは卒業後、就職や人生にも大きくかかわってきます。

私も文系と理系の間には言葉の壁があると感じていました。その思いを強くしたのが２０１１年の東日本大震災でした。文理の深い断絶をなんとかできないかと考え、東工大の学生に教えることにしたのです。

ふと店頭で手にした1冊との出合いによって、思いがけない発見をしたり、人生の可能性を広げるきっかけになったりすることがあります。ときには感銘を受けた書籍について仲間と議論してみましょう。

# 読書で視野を広げる

## 「利他」が注目されている

講義にあたった東京工業大学で、以前、新入生に案内した本を紹介します。

まず『「利他」とは何か』（伊藤亜紗編、集英社新書）です。利他という言葉を聞いたことはありますか。わかりやすくいうと、他者を大事にするという考え方です。人間が備えている労《いたわ》る気持ち、思いやりの心を意味しています。

新型コロナウイルスによって世界は危機に瀕《ひん》しました。私たちはこの危機を乗り越えるためにどう生きればよいのでしょうか。この問題について美学者、政治学者、批評家・随筆家、哲学者、小説家がそれぞれの分野から論じています。

執筆陣５人は２０２０年に発足した東工大の人文社会系の研究拠点「未来の人類研究セン

ター」の利他プロジェクトに参加したメンバーです（発足当時）。利他について問題提起し、議論している研究の成果でもあります。単なる論文集ではありません。

続いて『新・大学でなにを学ぶか』（上田紀行編著、岩波ジュニア新書）を紹介します。東工大の教養教育部門を担っているリベラルアーツ研究教育院に所属した教員13人が、自らの研究活動や学生時代の体験をもとに、若者向けに執筆しています。

たとえば目次には「僕は大学時代、何よりも旅から学んだ。」「『リベラルアーツなんてやりたくない』という人へ」といったメッセージが並びます。私も「自ら問いを立てること」について書いています。学ぶことについて新たな視点を得られるのではないでしょうか。

## 書評を書くトレーニングをする

東工大では毎年、新入生に「東工大立志プロジェクト　ガイドブック」が配られます。新入生はそこで紹介される課題図書から本を選び、その魅力について書評をまとめるトレーニングをします。今春配られた冊子から2作品を紹介します。

まず『考えることの科学　推論の認知心理学への招待』（市川伸一著、中公新書）です。私たちがものごとを考えるとき、データなどに基づいて熟慮したり、直感的に判断したりする場合があります。どうしたら正しい結論にたどり着けるのか悩ましい課題です。

人間がどのように思考し推論するか、その考え方にはどのような特性があるのか。同書はこれらのテーマについて、認知心理学と呼ばれる視点から考察を試みています。考える力について理解を深めることができます。

続いて『ものの言いかた西東』（小林隆、澤村美幸著、岩波新書）です。大学には全国から学生が集っています。それぞれの出身地に方言があり、独特な表現が受け継がれているでしょう。そんな言葉の面白さについて考察しています。

たとえば目次にはこんなタイトルが並びます。「口に出すか出さないか」「言葉で相手を気遣うかどうか」「ものの言い方の発想法」などです。言葉に影響するのは「個性か」それとも「地域差か」という視点もユニークです。

読書で思索の時間を過ごす際に気をつけたいことがあります。作者の視点や主張をたどるだけでなく「私はこう考える」という姿勢を大事にしてほしいのです。

新型コロナウイルスの感染拡大によって、大学の授業が対面からリモートに切り替わった科目もあるでしょう。こんな時代だからこそ読書の時間を大切にしてみましょう。

## 私たちの未来を考えるために歴史を学ぶ

## 教科書を読み直す

学生であれば、仲間と議論するテーマの一つに「私たちの未来」についてがあるでしょう。大切にしたいのは歴史から学ぶ姿勢です。歴史には人類の成功も失敗も詰まっていて、未来を考えるヒントになると考えています。

世界史の教科書があれば１９００年以降のページをめくってみるとよいでしょう。パンデミック（疫病の世界的大流行）や戦争を振り返ることができます。受験勉強では年表やキーワードを暗記することで精いっぱいだったと思います。因果関係を考えながら追い直してみると理解が深まるでしょう。

たとえばロシアのプーチン大統領は、なぜウクライナへの「特別軍事作戦」を決断したのでしょう。この背景を理解するキーワードは、新型コロナウイルスと第２次世界大戦にあるのではないかと考えます。

コロナ禍の下、プーチン大統領はパンデミックがもたらした孤独の中にいたと言われます。「偉大なロシア」についての偏った本を読みふけっていたと伝えられています。ロシア帝国の復活を思い描いたのかもしれません。

プーチン大統領が生まれる前ですが、ナチスドイツはソ連へ侵攻しました。ソ連全体では

２６００万人以上もの犠牲者が出ました。戦争の恐怖や自らの家族が大きな被害を受けていたことは深く彼の記憶に刻まれているはずです。

プーチン大統領は東西冷戦が終わった後、北大西洋条約機構（ＮＡＴＯ）が東方へ拡大したことがロシアへの脅威であると主張しています。ロシアが生き残るためには核兵器の使用もちらつかせています。欧米との関係について相当な危機意識を抱いているのです。

これに対して欧米諸国は結束し、ウクライナを軍事支援しています。指導者たちには第2次大戦前の深い反省があるからでしょう。宥和《ゆうわ》政策を重視してナチスドイツに譲歩したために、ヒトラーに領土拡大のきっかけを与えてしまい、それが大戦に発展した歴史があるからです。

## 妥協点を探す努力を

ロシアの侵攻は決して許されるものではありません。日々、ウクライナから報じられるニュースは目を覆いたくなる悲惨な光景ばかりです。戦争は世界史のなかの出来事ではなく、現実に起きているのです。

歴史を振り返れば、力と力の衝突がどれだけの惨禍をもたらすかということを知ることができます。この危機を終わらせるためには、あらゆる手を尽くして妥協点を見いだす努力が必要です。その解は、歴史の中にあるかもしれません。

欧州諸国が第2次大戦後、戦争をなくそうと努力してきた欧州統合の思想は欧州連合（EU）というかたちに実を結びました。その理念が危機にさらされ、人間の理性や知性が試されているのです。

コロナ禍も戦争も、いつかは終わります。そのとき世界はどこへ向かっているのか。それを考えてみてください。

報じられるニュースが点であるとすれば、点と点をつなぎ合わせて自分なりに未来をイメージしてみるとよいでしょう。

いま学んでいる文系や理系の専攻科目を土台にしながら、経済や社会を立て直すために、自分ならどんな協力ができるのか自らの問題として考えてみてください。それは利己的ではなく「利他」の思想として結実するはずです。

コロナ禍で多くの若者が友達との交流の機会を奪われ、多くの人が孤独の中で過ごしてきたことでしょう。その孤独は、自分と向き合い、考える力を磨くチャンスだったと捉え直すことができます。大学で学ぶこと、体験していくことのすべてが長い人生で生きてきます。

［第２章］

# 学びをもとに、伝える力をつける

東京工業大学で講義をするようになってから、学生たちに「伝える力をつけるにはどうすればいいか」ということをよく聞かれます。「知らない」ことを前提にすること、相手の立場にたつこと、それから、さまざまな場所で自分の意見を発表し、時には恥をかくことだと話してきました。学んだことを、今度は誰かに伝えていく。その中で、自分一人では見えてこなかった深い学びがあることに気づくのです。

# 「知らない」を前提に、話す力を磨く

## いまも悩んでいる

「わかりやすく話をすること」。私がこれまでも、いまも悩んでいるテーマです。一朝一夕でうまくいく方法などありません。特に大学での講義や一般聴講者への講演会などでは配慮が欠かせません。聴く人の立場で気をつけているポイントは二つあります。

第1のポイントは「キーワードの説明は丁寧に」ということです。

知っていることを前提に、専門用語やキーワードをそのまま使わないことです。聴く人は、わからない言葉に出くわしたとき、いちいちスマートフォンで調べていたのでは話に集中できないでしょう。

たとえば金融や経済をテーマに「政策金利」を話題にする場合です。年配の方に対しては、「かつての公定歩合はなくなり、いまは日銀が民間の銀行同士での取引の金利水準を誘導している」などと説明します。まだ公定歩合が存在していると思っている人が意外に多いからです。

日々、日本経済新聞を読みこなす読者には必要ないかもしれませんね。でも、経験から言えば、聴いている人は言葉を理解しないまま、どんどん話を進められてしまうと消化不良に陥ってしまいます。

聴いている人たちの年齢構成や職業などを考え、「この人たちは何が理解しにくいのだろうか」という問題意識を持って説明する必要があるのです。

できるだけわかりやすい言葉で短く話すことから始めてみましょう。そして、「習うより慣れろ」が大切です。

第2のポイントは「出来事の理由や背景の説明をしっかりと」ということです。

講演や講義では、キーワードを押さえるだけでなく、理由や背景を補うようにしています。新聞やテレビのニュースを詳しくチェックできない人々もいることを前提に、理解を深めてもらうという狙いがあるからです。

たとえば２０１６年のトランプ米大統領〝誕生〟の際によく聞かれた「アメリカ・ファースト（米国第一主義）」です。聴いている人たちの多くが、「そもそも、なぜあの人が大統領になれたのか」と疑問に思っているはずです。

そこでアメリカ・ファーストの話を始める前に、「どんな人々が選んだのか」「得票総数で負けても大統領になれてしまう選挙制度の仕組み」を加えておくようにしています。

## 子どもたちが先生だった

私にとって、ＮＨＫ時代、11年間携わった「週刊こどもニュース」の番組づくりが大きく生きています。放映前、小学生たちに解説する準備をする際、ときに説明の方法だけでなく、台本そのものも見直しました。

テーマやキーワードを理解してもらうことはとても難しいことでしたが、ゆっくり、わかりやすく語りかける経験を積むことができたと思います。長年の記者生活とはまったく異なる経験でした。いま思い起こせば、子どもたちが私の先生だったのですね。

4月には入社や入学のシーズンを迎えます。新しい職場や教室で、自己紹介をしたり、自分の考えを述べたりする機会が増えるでしょう。そんなとき、自らの言葉で直接語り、コミュニケーションをする日々の「会話」を大切にしてください。

というのも、いまの若者の多くが交流サイト（SNS）を通じたコミュニケーションに頼っているはず。常にスマートフォンでつながる親しい友人ではない人々に、「私」を伝え、理解してもらうのは意外に難しいことでしょう。

人前で話をしたり、一対一で会話をしたりすることが苦手かもしれません。たとえ1分間、話をするだけでも、それは大変な作業です。人前で話をするのは、一人を相手にする場合も、何十人、何百人を相手にする場合も同じなのです。

「話す力」は、学びや将来の仕事にも欠かせないとても身近な技術です。使っていないと衰えてしまう筋肉のようなものです。ぜひ、人前で話す経験を積み、冷や汗をかいてみてください。

まず短く話すことから始めてみましょう。1年間、チャレンジしてみるだけでも、大きな力になるはずです。習うより慣れろです。

# 問題意識を持って

## 議論が苦手な日本人留学生

大学教授になって海外の大学を視察したときのこと。「何を話せばよいのか。議論に参加できなかった」という多くの日本人留学生に会いました。

外国人学生たちは自分が育った国の歴史や政治、文化についてよく知っているので、キャンパスでの休み時間やランチタイムで始まる議論についていけないというのです。

一方、外国人学生から見ると「日本人はハッキリと自分の考えを言わない」と思われています。海外ではさまざまな言語や文化を背景にした学生が集まっています。明確に発言しなければ、何を考えているのか、存在すら認められないかもしれません。主張することから始まるのですね。

私なりに解釈すれば、日本という国は島国で、ほぼ同じ言語を使って人々がコミュニケーションしてきた歴史と深いつながりがあるのでしょう。強く主張することよりも、相手の気持ちを忖度《そんたく》して行動した方が、組織や社会に受け入れられる日本の社会特有の環境が浸透しているのでしょう。

たとえば世界に出て、話をするために大切なことは「まず日本を知ること」です。政治や経済だけでなく、文化や歴史を知ることも欠かせません。また、いまの日本を外国人に伝えるという点では、アニメーションや食文化も魅力的なテーマかもしれませんね。

どんなテーマであっても、関心を持って、学び続けてください。面白さや好奇心がわいてくれば問題意識を深めることもできます。国際情勢を知り、学べば、日本と世界の違いやかかわりが見えてくるでしょう。

論点を理解し、自分なりの考えを整理する作業を積み重ねていると、「なぜだろう」「どうすればよいのか」という問題意識が芽生えてきます。きっと、「人にも伝えたい、聞いてほしい」という気持ちが高まるはずです。

## まずは教養の基礎が大切

以前、高校生から「多くのテーマを考え、話せるようになるために、世界の動きにどうアンテナを張るべきですか」と質問されたことがあります。こうした問題意識を持っていることが、話せるようになるための第一歩なのですね。恐れることはないのです。

その際、「高校時代には学業に専念し、余力があればシェークスピアなどの古典の教養の基礎を身につける努力をすればよいでしょう」とアドバイスしました。世界の動きにアンテナを張るのは、高校を出てからでも決して遅くはありません。

インターネットが発達し、日本にいながら世界の情報を集められる時代になりました。深く掘り下げたいテーマを自ら学べます。

ただし、いわゆるネット上にあふれる「まとめサイト」には注意してください。誰が、どれだけ事実を確認して書かれた文章なのか、確かめるのが難しい場合があるからです。

日本では、多くの若者たちが子どものころから、教室で先生の質問に答え、定期試験や入学試験で正しい答えを出す訓練をしてきたのでしょう。先生がどんな答えを求めているのかを即座に忖度できる生徒が優秀な生徒といわれてきました。それではいけないのです。

大学生になったら「自ら問いを立て、その問いへの答えを考え抜く」という経験を積んでほしいのです。同じ考え方を持つ人の意見ばかりではなく、自分と反対の考え方を知ること

教科書を手に、基礎学力の大切さについて語る池上さん（写真：立教大学／BS テレ東提供）

も重要です。

こうした姿勢は社会に出てからも続けてください。「人前で話す力を磨く」ということは、知識や情報を増やしたり、テクニックを身につけたりすればすぐに解決するわけではありません。

まず「できるだけ簡単な言葉を使うこと」「話すテーマを自分の頭で考え抜くこと」というポイントを思い出してみてください。

# 「いつかなし遂げてやる」という気概を

## 「外国人留学生は酸素のようなもの」

２０１９年10月に、東京工業大学で、リベラルアーツ教育の改革をテーマにしたシンポジウムに参加した際、学生から日ごろのコミュニケーションに関する悩みや疑問が寄せられました。

「独創的な意見を認めてもらうにはどうすればいいか」「どこまで忖度するムードに従えばよいか」。学生は意見や議論をする難しさ、窮屈さを感じています。

伊藤亜紗准教授（現・教授。芸術）が米マサチューセッツ工科大学（ＭＩＴ）での体験から、面白いエピソードを紹介しました。ＭＩＴの学長は「外国人留学生は（大学の）酸素のようなものだ。いつも新鮮な酸素を取り入れていかないといけない」というたとえ話をしていたそうです。

歴史も実績もある名門大学の意外な一面です。世界のさまざまな国・地域からＭＩＴへ学びに来る若者の意見やアイデアを吸収することが、大学の新陳代謝につながると考えておられるのでしょう。まさに大学の多様性です。

さらに伊藤先生は、学生は自分が否定されても、批判されても、自らの考え方を貫く姿勢が大切だということを提起しました。それは学ぶ者の「信念」とも言い換えられるのではないかと強調しました。

物質理工学院長（当時）の和田雄二教授（現・名誉教授。応用化学）は自らの体験をもとに学生に語りかけました。「理工学の分野では、異なる考え方であっても、とがっていても、

リベラルアーツ教育の改革をテーマに行われたシンポジウムでは、教授たちが学生の悩み、疑問に答えた（写真：東工大提供／19年10月）

証明できれば価値になる。自分を理解してもらえる。だから私はいまの道に来た」

つまり、自分だけが信じている独創的で、とがった考え方でも、証明できれば世界に「私」を認めてもらうことにつながるのです。和田先生は「とがった」姿勢を大切にしてほしいといいます。

和田先生の研究室では学生は先生のことを「和田さん」と呼ぶそうです。学生は一緒に研究し、学生のアイデアが採用される場合もあるそうです。互いに尊重できる関係づくりが大切ではないかと指摘されていました。

## 外部の指摘に死角を突かれた

リベラルアーツ研究教育院の上田紀行院長（当時、文化人類学）は、外部から指摘された思わぬ視点を紹介しました。専門家を招き、東工大の教職員が参加したワークショップでのことです。

「日本の大学の『とがった』は、だから自分の研究には口出しするなというコミュニケーション拒否のところがある。逆にコミュニケーションしてしまうと人の目を気にしたり忖度したりして、どんどん凡庸化していく。しかしＭＩＴでは相互コミュニケーションがますます各自をとがらしていく。その違いは大きい」

コミュニケーションを大事にしていこうという東工大にとって、まさに死角を突かれた視点です。

また、上田先生は東工大生にこんな説明をしたことがあるそうです。

「人々が生きる世界は、常に法則の下で動いているわけではない」

「人は定義に従って議論するわけではない。議論すべきテーマは広い」

法則や定義を考えることは理系学生の大事な研究姿勢です。しかし、社会に参加したり、人とコミュニケーションしたりするところにまでこの発想を持ち込むと、コミュニケーション不全を起こしがちになるのです。

上田先生は学生に対話の重要性を訴えました。

「ほかの学生の考えを聞くことで新たな気づきが生まれる。学生は別の学生の視野を広げ、考え方を変えるという役割を担っている。それが予期せぬ発想を生み、次の行動を促し、世界を変える第一歩になる」

私はコミュニケーションの力を磨くには、「聞く力」と「伝える力」を鍛えていくことが大切だと考えています。そして、夢を語って笑われたら「いまに見ていろよ。いつかなし遂げてやる」というくらいの気概を持ってほしいものです。

キャンパスでこうした議論が繰り返される東工大では、若者の意識が変化しています。その場の空気を読み、同調する必要などありません。
最後にアドバイスを一つ。シンポジウムや講演会での質問は「できるだけ短く、わかりやすく」が肝心です。時間に限りがありますから、ほかの質問希望者と時間を分け合う意識は大事なマナーです。

# 日本の文化や歴史を外国人に話せますか

## 理解しがたいクリスマスの風景

学校を卒業して働き始めると、外国人と会話する機会が増えると思います。そんなとき日本の文化や歴史が話題になることがあるはずです。最近は新型コロナウイルス問題への対応で、オンラインによる会話の機会も増えています。外国人に話せる話題をつくっておくとよいでしょう。

以前、中東取材でお世話になったヨルダン人が来日し、東京を案内したことがあります。12月の年末商戦を迎え、東京の街に華やかなクリスマスのイルミネーションが輝いていました。大勢の人々で街がにぎわっていました。

食事をしていて、その人から日本人とクリスマスのかかわりを尋ねられました。「日本人には仏教徒が多いはずなのに、なぜキリスト教の祭事であるクリスマスが盛り上がっているのか」。敬虔《けいけん》なイスラム教徒から見て、東京の街はどこか理解しがたい風景に映ったのでしょう。

どう答えようか思案し、企業や商店がイベントとしてクリスマスを企画していることを説明しました。このほか日本には結婚、葬儀など人生の節目の行事をそれぞれ異なる宗教の様式で行う場合があることも解説する必要がありました。

お互い相手の言葉は話せないので、英語での会話になりました。なんとか日本の事情だけは理解してもらうことはできましたが、食事の味など覚えてはいられませんでした。

また、国際会議の後に開かれるレセプションなどの場では日本人としての「教養」が試されます。そうした場面では、仕事の話はご法度。趣味やライフスタイルなど幅広い話題を楽しむのです。もちろんコミュニケーションは英語など外国語です。

あるとき『源氏物語』について質問された人の話を聞いたことがあります。多くの日本人が知っていても、読破した人ばかりではないでしょう。説明に窮したとのことでした。

外国人は『源氏物語』を翻訳された現代英語で読むことができます。日本人がシェークスピアの作品を原書で読んで海外の文化に親しむのと同じです。日本の文化や歴史を理解する基本的な教養ととらえているのです。

外国人観光客が増えたことも影響しているのだと思いますが、新型コロナウイルス問題の影響が大きくなる前、人形浄瑠璃や落語といった催し物の会場にも外国人の姿がありました。外国人は日本のアニメーションや漫画にも関心があります。海外から日本の魅力や実力を教わることがあるのです。

## 日本語で話すことから始めよう

これまでの海外での取材を通じて感じることは、外国人はとにかく、自分が生まれ育った文化や歴史、社会の話題に詳しいということです。さらに日本の文化について質問されることが多かったということです。大学の留学経験者の話を聞くと、フリートークの話題に困ったという声が多いのですね。

いきなり外国語で説明することは難しいかもしれません。まずは基本的な知識を蓄えて、自分なりの感想や考えを持ち、日本語で話せるようにしてみることが大切です。外国語で話せるようにするのはその後からでも問題ありません。

これも教養を磨き続けていく一つのかたちだろうと思います。はじめは頭の中を整理して話をしてみる。うまく説明できないことがあれば、改めて知識を整理し、伝え方を考えてみる。その繰り返しです。海外への出張や赴任に備えて、いまから少しずつ詳しくなっていけばよいでしょう。

デジタルの映像や音楽に慣れ親しんでいるとしても、ときには日本の伝統文化や新しい文化に触れてみてはどうでしょう。もちろんいま趣味として取り組んでいることや関心を持っている分野でも構いません。それに関連した歴史や文化を知り、造詣《ぞうけい》を深めるのです。語れることが増えれば、新しい世界が広がります。人生１００年時代を楽しむためにも、私流の教養磨きの体験をお勧めします。

# 働くために大切なこと

## コロナで「未来の働き方」がやって来たが、本質は変わらない

新型コロナウイルスの出現でわたしたちの暮らしや働き方は変わりました。オンラインを使った会議や商談が定着し、在宅勤務が広がって満員電車の通勤も減りました。新型コロナの混乱が収束した後も、かつてのような働き方にはそのまま戻らないでしょう。

これらは近未来の働き方として予測されていたことでした。新型コロナによって、まるで

時計の針の進み方が速まったかのように、「未来の働き方」がやって来たのです。街の書店にはテレワークを実践するための解説本が何冊も並んでいます。人々がこうした知識や技術を必要としている証しです。

そして、これまで以上に一人一人の役割や成果が具体的に求められるようになるでしょう。オンライン化によって、社員の働きぶりが可視化されたのです。働き続けるには、個人が常に能力を高めたり、ＩＴにも精通したりしていく努力が欠かせなくなってきています。

でも、恐れることはありません。新しいビデオ会議システムやデータを活用する技術というのはまずは慣れることが肝要です。人々はすぐに最先端のＩＴを使いこなすようになるでしょう。そして最終的には、ＩＴスキルではなく、個人の能力が大事なポイントになると思います。目の前の混乱や新しいテクノロジーに振り回されることなく、地道に自らの能力を磨いていきましょう。

取り組んでほしい課題を挙げるとすれば、やはり会話や文章で「伝える力」を高めていくことでしょう。「伝える力」が大事なことは対面でも、オンラインでも変わりはありません。

## マニュアルはない

私自身の記者やキャスターのキャリアを振り返ってみても、残念ながら「これだけ覚えれば大丈夫」というマニュアルはありません。伝えたいことを考え抜く過程で頭の中が整理されます。冷や汗をかきながらでも伝える体験を重ねていくことです。特別なトレーニングなどないでしょう。

たとえば学生なら、いまはオンライン方式でも授業や学内イベントなどで大いに発言してください。どう発言するかを事前に頭の中で整理し、内容をクリアにしましょう。

教授に提出するリポートや課題なども、提出する前に推敲《すいこう》する癖をつけておきましょう。

短時間の発言でも、短い文章であっても、日々の経験を通じて、話したり、書いたりするという能力を少しずつ磨いていくことができます。

「伝える力」というのは学校や会社で情報を共有したり、他者と共同で作業を進めたりしていくために大切な力です。そして、もっと大事なことがあります。あなた自身の姿勢を伝えることで、信頼を獲得し、人間関係をつくるきっかけになるということです。

「伝える力」を磨くということは、あなたの信用力につながるということなのです。それが人間力を育み、社会人としての財産になるでしょう。その第一歩は自分の言葉で話し、自分の言葉で文章を書いてみることです。

自分を磨く取り組みには終わりがありません。受験対策のように「これだけやれば大丈夫」というゴールはないのです。

# 伝えたいことを整理して、書く力を鍛える

## 先輩の助言に後悔

高校までは学校が指定した科目を受けるだけでしたが、大学では自分で選ばなければならないことが増えます。かつて、大学１年生だった私も、受講科目の一覧表を手に途方に暮れました。

当初、学びたい科目を選んでいたのですが、クラブの先輩に「単位が取りやすい科目を選べばいいんだよ」と言われ、ついそのアドバイスに従ってしまい、後悔しました。「単位が取りやすい科目」は、講義がつまらないものが多かった記憶があります。

授業が始まると、文章を書く機会が増えます。たとえば、最近の授業では、毎回、時間の最後に感想や意見を簡潔にまとめることがあります。「振り返りシート」などと名付けられた所定の用紙が用意されています。

オンライン授業の際には、大学の情報システムに意見や感想を書き込んだり、文書ファイルにまとめて提出したりする方式もあります。新しい仕組みを使って、学生の書く習慣を大事にしていこうという仕組みなのです。

授業やゼミでリポートを提出することが増えるはずです。卒業論文のような文章を書く日に備え、論文の書き方の基本を身につけるようにしましょう。論文なら「序論・本論・結論」、エッセーなら「起・承・転・結」といった、ジャンルによって基本スタイルが異なるからです。

いささか我田引水ですが、新聞に掲載されている長い文章の論考の書き方も参考になります。

## 誤字・脱字の確認を

大事なことは文章を書いたり、リポートをまとめたりする前に、書きたいことや表現したいことを整理し、盛り込みたいキーワードを書き出してみることです。自分が伝えたいことがわかってきます。

勢いで書き始めてしまうと、文章は途中で行き詰まったり、同じことを繰り返し書いてしまったりすることがあります。気合が入り過ぎてバランスが悪くなることもあります。

自分の意見や考えを簡潔に述べたり、その理由を書いたりすることも意識してください。書き手が書きたいことを整理できていなければ、文章を読む人にも伝わりません。

文章を提出する前、最後に誤字や脱字を必ず確かめる習慣をつけるようにしましょう。誰にも、言葉遣いを間違っていたり、パソコンなどで変換ミスをしていたりすることがあるものです。

私が教えている複数の大学の答案で実際にあったケースでは、縦書きの原稿用紙に横書きしている学生がいました。段落を変えるため、文章を改行する際に冒頭を一コマ空けるという基本をわきまえていない文章も目立ちます。

文章上のルールと聞くと、面倒に感じるかもしれません。でも、繰り返すうちに自然と身についていきます。

就職すれば業務の報告や取引先への連絡など、日々、文章を書くようになります。手書きでも、パソコンを使っても、文章を書くことは伝えることの基本です。

書く力というのは一朝一夕では身につきません。自分の頭で整理しながら表現し続けることです。何事にも言えることですが、地道な積み重ねが必要です。

# 言葉の大切さを知ってほしい

## 知識不足が生む疑問

コロナ禍の下、言葉について考えた事例を二つ紹介しましょう。

一つは「インフォデミック」という言葉です。これは情報を意味するインフォメーションと感染症の拡大を意味するパンデミックを組み合わせた造語です。インターネットなどを介して大量の誤情報が拡散し、社会や人々が混乱に陥るような状態を意味しています。

たとえば「新型コロナのワクチンにはマイクロチップが入っていて、人々をコントロールしようとしている」という信じ難い情報が流れました。ワクチン接種を迷っていた人々は不安を覚えたと思います。

これは「メッセンジャーＲＮＡ（ｍＲＮＡ）」と呼ばれる新しい技術を用いて、短期間でワクチンが開発されたことと関係があるように思います。

ｍＲＮＡの仕組みはいまの高校の生物の教科書ではきちんと解説されているのですが、生物を履修していなかった人も多いので、疑いたくなるという人間の心理が働くのも無理はありません。

基礎的な知識を知っておくことが、情報を判断することにつながる。いわば判断力の基礎体力を養成することが必要なのです。

もう一つはリーダーの言葉です。たとえば、かつてドイツのメルケル首相（当時）は、新型コロナの感染拡大を食い止めるためロックダウン（都市封鎖）を打ち出さざるを得ませんでした。その際、国民に語りかけた言葉が印象的でした。発言のポイントを少しご紹介します。

「私たちは報道の自由、職業選択の自由、さまざまな自由を民主主義の国として大切にしてきた。しかし、コロナ対策のために皆さんの行動が束縛されてしまう。本来、民主主義国家がやるべきことではないが、やらざるを得ない」

そして「民主主義の国では必ずこれが後から検証できるようでなければいけない。ロックダウンをすることになった過程のさまざまな議論、プロセスを記録に取っている」と強調したのです。

新型コロナの感染拡大でロックダウンを打ち出した際、テレビで放送されたメルケル独首相（当時）の演説は多くの国民の心を打った（写真：ARD／AFP／アフロ）

## 伝える姿勢を学ぶ

自ら国民に理解してもらおうと、言葉を選んでいることがわかります。これこそリーダーが自らの言葉で国民に伝える姿勢ではないでしょうか。

残念ながら、日本では東京五輪・パラリンピックに際して日本人の人権意識や国際感覚が疑われる事態に陥りました。女性蔑視の発言を通じてジェンダーギャップが明らかになりました。また、ナチスドイツによるユダヤ人の虐殺をお笑いネタにしていたという事実も発覚しました。

高校生、大学生はやがて社会に出て、世の中を支える力になっていきます。これからグローバルに学び、働いていく若者たちには、一度、考えてほしい問題です。

そのとき欠かせないのは「情報を見極める力」と「自らの考えを伝える力」でしょう。

それは決して特別な能力ではありません。高校や大学で学ぶ科目や専攻をしっかり身につけること。そうした学問上の常識を身につけることが、社会に出て生きていく力になります。

私たちはいまコロナ禍で世界が大きく変わる歴史の転換点に立っています。自らの歴史をつくるのはあなた自身なのです。

# 戦後を振り返る

## ワイツゼッカーの演説から考える

これまで歴史といえば受験勉強の科目の一つにすぎなかったかもしれませんね。しかし、一つ一つの歴史の積み重ねが現代を築いています。過去を知ることで、「どうして現代はこうなったのか」というつながりを学ぶことができます。

「愚者は経験に学び、賢者は歴史に学ぶ」という有名な言葉があります。人間の英知や失敗が詰まった歴史を手掛かりにすることで、同じ過ちを繰り返さずにすむかもしれません。私が現代史講義を通じて訴え続けている視点でもあるのです。

「過去に目を閉ざす者は現在にも盲目となる」――。戦後40年にあたる１９８５年、西ドイツ大統領（当時）のワイツゼッカーが演説し、有名になったメッセージの一節です。

ナチスドイツがユダヤ人や欧州の人々にもたらした惨禍と戦争責任を改めて明確にし、ドイツがその罪を忘れていないことを内外に伝えました。この演説によってドイツのその後の歩みが決まったとさえ評価されています。

日本は今、世界に向けて、過去への責任とこれからの国際貢献について明確なメッセージ心をとらえている重みに目を向けるべきではないでしょうか。

が求められているでしょう。ワイツゼッカー元大統領の演説が、30年を経てもなお、人々の

大学では人に伝えること、コミュニケーションの大切さについても学生たちと議論しています。

「何を伝えるのか。そのためには情報をどう整理する必要があるのか」。伝える側があらかじめこのことを意識しながら、取材をし、情報を集めなければいけません。情報が多ければ、相手に伝わるというものではないのです。伝える側の姿勢や問題意識が問われるのです。

これは人と人との関係にも、国と国とのメッセージの伝え方についても共通する部分があります。私は今も悩んでいます。引き続き皆さんとも、一緒に考えていきましょう。

問題意識が学びの起点に

［第3章］

# 歴史から何を学ぶのか

## グローバルな教養を身につけるために

東京工業大学で、10年以上にわたり講義をしてきました。専門的な知識を生かすために、幅広い教養が必要であるという大学の考え方に賛同し、講義を受け持つようになりました。この間、世界は大きく変わりました。英国がEUを離脱し、米国ではトランプ大統領が誕生し、新型コロナウイルスが蔓延し、ロシアのウクライナ侵攻、さらにはパレスチナとイスラエルの衝突が起きています。私たちは、世界の動きと無関係で生きていくことはできません。よりよく生きるために、世界を知り、自分の頭で考えるための教養を身につけましょう。

# パレスチナ問題の構図を歴史に学ぶ

## かつてユダヤの王国があった

中東情勢が緊迫しています。パレスチナ自治区ガザを実効支配するイスラム組織ハマスがイスラエルを攻撃し、イスラエルによる猛反撃も合わせて多数の犠牲者が出ました。学生たちにはアラブ諸国とイスラエルが対立する「パレスチナ問題」はわかりにくいテーマの一つ。今回は対立をめぐる歴史的な背景を解説します。

歴史を遡《さかのぼ》りましょう。そもそも現在のパレスチナと呼ばれる地域には、二千年ほど前、ユダヤ人の王国がありました。やがてローマ帝国が勢力を伸ばしてこの王国が滅ぼされました。ユダヤ人は土地を追われ、世界に離散したのです。その後、パレスチナに住んだのが（イスラム教徒となった）アラブ人です。

欧州に移り住んだユダヤ人はキリスト教社会で苦難に見舞われました。ユダヤ人の先祖がイエス・キリストを十字架にかけたことなどが理由です。差別を受け、いわゆる〝金貸し業〟しか仕事が認められず、そこで成功したことも差別の対象となりました。

第2次世界大戦ではナチス・ドイツがユダヤ人を組織的に虐殺し、犠牲者は約600万人に上りました。「自分たちの国を持ちたい」というユダヤの人々へ同情が集まり、1947年、国連のパレスチナ分割決議によってイスラエル建国の道筋ができました。

このとき聖地エルサレムは国際管理地区に分割さ

イスラエル軍の戦車にイスラム組織ハマスが攻撃。歓声をあげるパレスチナ市民たち（写真：AP／アフロ）

れました。エルサレムはユダヤ教、キリスト教、イスラム教という三つの宗教の聖地であり、対立を避ける知恵でした。

ところが、パレスチナの人々やアラブ諸国は決議に納得できませんでした。48年、イスラエルが建国を宣言するとエジプト、シリアなどによるアラブ連合軍が攻め込みます。これが第1次中東戦争です。結局、4度の大きな戦争を繰り返す事態になったのです。

## パレスチナ難民が生まれた

戦火の下で生まれたのがパレスチナ難民です。やがて「パレスチナの独立国家」を目指すために対立が深刻化していったのです。その代表的な組織がアラファト議長が率いたパレスチナ解放機構（ＰＬＯ）です。

93年に転機が訪れます。ノルウェーが仲介し、イスラエルとパレスチナの間で歴史的な「オスロ合意」がまとまったのです。パレスチナ人が大勢いるヨルダン川西岸地区とガザ地区での暫定自治が認められました。選挙で代表を選ぶなど和平へ動き出したのです。

パレスチナ問題をめぐっては、日本も学校や病院を建設するなど援助に力を入れてきました。和平へ期待が高まりましたが、対立を収束させることは簡単ではありませんでした。95年にイスラエルのラビン首相が、和平に反対するユダヤ教徒の青年により暗殺されてしまっ

論理」を理解することが世界の行方を考えるヒントになります。そこで改めて歴史を押さえておきましょう。

ロシアという国名の語源になった「ルーシ」は、かつて現在のウクライナ地方に存在した国家「キエフ・ルーシ」です。この流れをくむモスクワ大公国は後にロシア帝国へと発展しました。ロシアはウクライナと歴史や文化の結びつきを持つ特別な存在であるといえるでしょう。

20世紀にロシア帝国が滅びてソビエト連邦が誕生するとウクライナは連邦に組み込まれました。ソ連は第2次世界大戦でドイツの侵略を受け、２６００万人を超える犠牲者を出しました。プーチン氏が生まれる前ですが、兄は病で亡くなり、母親も餓死寸前にまで陥ったそうです。

## 一夜にして崩れる恐怖

東西冷戦末期を迎えたころです。ソ連の情

ロシアのウクライナ侵攻は３～４年続くという専門家もいる。写真は侵攻から１年が経ち、正教のクリスマスを迎えた2023年1月7日、ウクライナの首都キーウの修道院でろうそくをともして祈りをささげる親子（写真：共同通信社）

報機関「国家保安委員会（ＫＧＢ）」の一員になったプーチン氏は歴史的事件に遭遇します。東ドイツ（現・ドイツ）のドレスデン駐在時、ベルリンの壁崩壊と東ドイツ崩壊を目撃したのです。さらにソ連は消滅しました。社会主義の価値観や国家が一夜にして崩れ去る恐怖感を抱いたでしょう。

やがて東欧諸国が北大西洋条約機構（ＮＡＴＯ）に加盟します。冷戦時代、ウクライナのような連邦構成国や東欧諸国をソ連は欧米に対する軍事的な緩衝地帯と位置付けていました。プーチン氏は「ＮＡＴＯがロシアに迫ってきた」と脅威に感じたのです。

近年、ウクライナ東部の親ロシア派が多数派を占める地域に特別な自治を認める交渉が進んでいました。ところがウクライナのＮＡＴＯ加盟問題が浮上して決着があいまいになった経緯があります。プーチン氏は欧米諸国に警戒感を強めたはずです。

ロシアでは２０２４年春、大統領選がありました。再選したプーチン氏は欧米諸国に対して「強いロシア」を示す必要があったのでしょう。強いロシアの復活を夢見て、ピョートル

モスクワで「祖国防衛の日」の式典に参加するプーチン大統領（写真：AFP／アフロ）

大帝などの偉大な皇帝を自らの姿と重ね合わせていたのではないでしょうか。

私たちから見れば決して許せない暴挙であっても、ロシアにはロシアの歴史があり、譲れない一線があるのです。

歴史上の出来事は、次に起きる出来事の原因となることがあります。だからこそ歴史を知り、経験に学ぶ価値があるのです。私たちはいま歴史的な瞬間を目撃しています。ぜひ、この問題意識を忘れずに学び続けてほしいと思います。

# 問題意識が学びの起点に

## 希望を捨てないで

歴史から国際情勢を考えることをテーマにした講演から、聴講者との質疑の一部を紹介します。話題は世界の行方、学びや生き方にも及びました。参加した若者の問題意識はすばらしく、新型コロナウイルス禍の下でもしっかり学んでいたことがうかがえました。

質問　戦争のない世界が実現するなら、どのようなことが大事ですか。

池上　世界はウクライナ戦争が始まり緊張状態が高まっています。軍事費や防衛費が増えていくでしょう。本来は人々の教育、医療、文化などに使われる予算の余裕がなくなってきます。残念なことです。

　第2次世界大戦後、欧州では欧州連合（ＥＵ）につながる組織が形づくられてきました。戦争をなくそうという理念が成果をあげた事例です。国と国との平和な関係を築き、豊かな生活の実現へ力を入れていくことが大事だと考えています。

質問　国連は戦争に無力だと指摘されます。仕方がないのですか。

池上　米国、ロシアなど安全保障理事会の常任理事国五大国が、それぞれの都合や思惑で拒否権を行使してきたことが要因です。この改革は国連が民主的国家で構成されることが前提になるでしょう。

　それでも国連児童基金（ユニセフ）や世界食糧計画（ＷＦＰ）などは機能してきたと思います。冷戦後、国連が紛争や内戦に際してまとまることができた場面もありました。希望を捨ててはいけないのです。

## 近隣諸国への理解を

質問　私たちは世界を知り、理解したうえで、どのように行動していけばよいでしょうか。

池上　国際機関や非政府組織（NGO）などで働くことをイメージするのもいいですね。学生のうちから取り組めることはあると思います。

サークルやゼミで行動することも可能です。海外の現状を視察したり、海外の大学と活動したりという方法もあるでしょう。海外の人々と問題意識を共有し、結びつきを広げてはどうでしょう。

質問　世界で活躍するには、どのような視点で学び、力をつけていけばよいでしょうか。

池上　こうした問題意識を持つ若者がいることが日本の希望です。まず自ら育った国の近隣諸国・地域の現状を理解することです。日本人なら日本の歴史、政治、経済もしっかり学んでください。海外に出かけても質問されることがあります。

語学力も大事です。英語以外にもう一つ言語を習得すればコミュニケーションの幅を広げられます。中国語、スペイン語、これからはロシア語という選択肢もあります。

**質問**　偏った学び方や知識を防ぐためには、どのように工夫したらよいでしょうか。

**池上**　とてもいい質問です。たとえば関心のある分野を学んで知識を増やし、理解を深めていくべきです。自ら収集した情報は十分か、一方的な見方はしていないか、常に点検してください。世界や社会の問題を理解する学びには決して終わりはないのです。

インターネットの情報で気をつけたいのは、検索エンジンのアルゴリズムの影響もあって、情報を探している人に関心のありそうな情報ばかりがたくさん集まる可能性があることです。探求心や向学心を持っていろいろな情報に接し、粘り強く学んでほしいと思います。

# 歴史から何を学ぶか

## 第2次世界大戦の指導者は誰か

東京工業大学の現役の学生や卒業生と定期的に開いている読書会で、半藤一利さんの『世界史のなかの昭和史』（平凡社）を取り上げました。歴史が苦手、とりわけ近現代の日本史を学ぶ機会がなくて……と嘆く参加者にどんな本がいいか考えたからです。

この本は、大正から昭和へ、そして現代へという日本史を、ヒトラーやスターリン時代の世界史の中に置いて考察しようという野心作です。参加者たちは、こういう種類の本を読んだことがないため、読み進むのに苦労したり、新しい発見をしたりという経験だったようです。

この読書会では、終了後、参加者たちがきちんと感想を書いて送ってくれます。学生たちが日本の近現代史をどう受け止めたか、その一端を紹介しましょう。

〈Aさん〉世界史のなかの昭和史において、第2次世界大戦に日本を導いた「指導者（主役）」は誰だったのだろうか。著者は、ソ連はスターリン、ドイツはヒトラーの「巨悪」を、巨頭たる指導者として説明する。翻って、日本は、時の指導者が戦略性を持って大戦に進んでいったわけではなく、その時々の出来事に対して、政府の各部門が場当たり的に、その場が支配する空気に従って行動していた。政府の各部門が健全な牽制《けんせい》（緊張関係）を保っていたのではなく、戦略を持ち実行できる指導者を欠き、相互不信と「セクショナリズム」に陥った結果、転げ落ちるように第2次大戦に突入していく様子には、やるせない気持ちになるが、まさに教訓になる。

〈Bさん〉「時代の節目というものは、その規模が大きすぎるとき、渦中にあるものはなかなか気づかない」という一節を読みながら、昨今の米国や北朝鮮や中国のニュースが、50年後、２００年後に時代の節目であったと反省されるのかもしれないと頭をよぎりました。過去の成功や失敗、そのときの国際情勢や国民感情、独裁者となる者がとった手口を詳しく学び、高い視座に腰を据えていきたいと思います。

## 戦争を推し進めた「力」の所在

〈Cさん〉　本書で特に興味深かった点は、満州事変に対する日本人の見解について書かれた一節でした。当時の民草《たみくさ》から見た新聞の報道を想像してみれば、確かにこれが「偉業」と見えたということが納得でき、その権益を認めない米英への反発心を抱くことも自然に思えました。満州事変↓日中戦争↓太平洋戦争という流れを推し進めた「力」の所在を、しっかりと可視化してくれるのが本書の良い点だと思います。

〈Dさん〉　日本はいつもバスに乗り遅れまいと後追いの政策ばかりだという話がありました。個人的には、日本がバスをゼロから作って他の人を乗せるほどのリーダーシップを取る必要はないと思っています。他方、自国が目指す方向はしっかり見定めた上で、バスに乗るか別の方法を取るか決める必要はあると思います。何だかよくわからないがとりあえず飛び乗る、という選択は取らないようにしたいです。

〈Eさん〉「バスに乗り遅れるな」という日本は「バスを作っていない」という発言は上手いと思いました。しかし、「バスを作る」とは何をすることなのでしょうか？「バスを作る」とは、自ら目標とプロセスを定め、実行においては、周囲を巻き込み、機会を創出すること、となるでしょうか。現在の日本が相変わらず目標もプロセスも作るのが下手というのは同意するところです。

〈Fさん〉今のニュースに関心があればあるほど、歴史は面白く学び甲斐《がい》のあるものになるのだという認識を強くしました。た

読書会を開く池上さんと学生たち。「近現代の日本史を学ぶ機会がない」という声も（写真：東工大提供／18年3月）

とえば、関税の掛け合いという現状と似た過去もあり、そこから戦争につながっていったという歴史がありました。今起きている事態の理解、並びに予測する際に、歴史は有用な手段です。

それぞれが歴史を学ぶ意味をしっかり受け止めてくれたようです。これぞ読書会を開く醍《だい》醐《ご》味《み》です。

# 世界地図から見える国際情勢

## 「新冷戦」の時代に

私はこれまで取材などで世界90カ国・地域を歩いてきました。現地でしか手に入らない世界地図を買うのが趣味の一つです。土地が変われば描かれる内容も変わります。今回は、私が手に入れた世界地図から見える国際情勢について考えます。

まず基本編です。大半の若者が授業などで、日本列島が真ん中に描かれた世界地図を使ってきたのではないでしょうか。

でも、このタイプの地図に慣れてしまうと、かつて「東西冷戦」と呼ばれていた時代を理解しにくいでしょう。米国は西側、旧ソ連は東側のリーダーでした。米ソは直接戦火を交えることはなく、世界規模で厳しく対峙していた時代です。

東西という考え方は英国を中心に描かれた世界地図を基準にしているためです。おおまかにいうと、地図の東側には社会主義陣営の国々が多く、西側には資本主義陣営に属していた多くの国がありました。

いまも米国とロシアの関係は国際情勢を左右します。2019年にはすでに「新冷戦」の時代ともいわれていましたが、いまだにその状態が続き、さらに状況は悪いほうに向かっています。

ただし、欧米中心の地図では日本は東の端に描かれています。いわゆる極東と呼ばれる地域です。さらに英国から見て極東との間には中東があります。世界の中心をどこに置くかによって、捉え方や呼び方が決まるのです。

「核合意」をめぐって米国との緊張が高まっているイランの世界地図には、ある国が描かれていませんでした。どの国かわかりますか。それはイランが対立してきたイスラエルです。同じ位置に、地域を表すパレスチンと記されていました。

背景には第2次世界大戦後に建国されたイスラエルと中東、アラブ諸国との対立があります。かつてのイラン大統領は「イスラエルを地図上から抹殺しなければならない」と演説しました。地図から抹殺とはどういうことか。決して冗談には聞こえませんでした。

厳しい関係に陥っている日本と韓国の間にも、世界地図の表記をめぐる主張があります。

それは日本が「日本海（シー・オブ・ジャパン）」と記している海の名称です。韓国は「東海（イースト・シー）」と表記するように世界に働きかけています。地図に両方の名称を併記する考え方も含めて、関係者の主張が続いています。

韓国から見れば「東海」は東側ですが、韓国に向かう航空機や船舶の位置によっては西側にあるかもしれません。また、中国は東シナ海を「東海」と呼びます。どこまでの範囲を「東海」と記せばよいでしょう。地図の名称はさまざまな事情を考慮する必要があるのです。

続いて中級編です。あなたが地図会社の社員としましょう。二つの国が互いに領有権を主張している島があったとしたら、その島を地図上では何色で描けばよいでしょうか。

過去に武力衝突に発展した事例があります。アルゼンチンがマルビナス諸島と呼び、英国がフォークランド諸島と呼ぶ島々をめぐる対立です（1982年）。

ヒントは「地図の4色問題」にあります。これは4色あれば、地図上の国々や地域を隣と別の色で塗り分けることができるといわれる理論です。

両国の対立に配慮したものかどうかは不明ですが、カンボジアの世界地図では英国とアルゼンチンは同じ色でした。見かけ上は、両国とそれぞれが領有を主張する島は同じ色に描かれています。まさに大人の判断をしたのですね。

## 固定観念に縛られないように

最後に上級編です。人工衛星から撮影した地球を基に描くとどんな世界地図ができるでしょうか。想像してみてください。

そこには森林や平原、砂漠、そして海が広がっています。緑や青がとても美しい世界地図です。もちろん、人間の都合で引いた国境線など書かれていません。国家や言語、宗教の違いに関係なく、地球という大きな船に「人類」が乗っていることを思い起こさせてくれます。

世界地図の表現や記述には、さまざまな思惑や主張がかかわっています。国際情勢を知る貴重な情報源です。最新の地図は皆さんで確かめてほしいのですが、一つの世界地図だけでは気づかない事情があることをおわかりいただけたでしょう。ときには地図の南北を逆転してみると、習ってきた世界と違う姿が見えます。

若者たちにアドバイスです。外国人旅行者は日本を訪れ、日本の魅力が「富士山」「すし」だけではないことを発見します。固定観念に縛られないことが大切です。ぜひ、好奇心が旺盛で感受性が豊かな若いときに、世界を歩いて多くの発見をしてほしいと思います。

# 違いを乗り越え、グローバル社会を生きるには

## 相互理解深める知恵を

グローバル社会を生きるには、異なる文化や歴史のなかで育った人々が、互いを認めることがその第一歩になるでしょう。２０１９年12月、立教大学で行った講演をもとにしています。

「北マケドニア」を訪れたことがあります。ギリシャの抗議を受け、国名を「マケドニア」から北マケドニアに変更した国です。ギリシャの人々は、祖国の英雄アレクサンドロス大王の故郷である「マケドニア」という名称をそのまま使ってほしくないという気持ちだったのでしょう。

北マケドニアは、かつて社会主義国の旧ユーゴスラビアを構成する国の一つで、マケドニ

アを名乗っていました。東西冷戦終結後、ユーゴは民族紛争による混乱に陥り、解体された悲しい歴史があります。

独立すると、国連や欧州連合（ＥＵ）への加盟という次の目標ができますが、ギリシャはマケドニアの国名でのＥＵ加盟に反対します。そこで、国民投票を行って国名変更について国民の意思を確かめようとしたのですが、低投票率にとどまってしまい、投票の成立に必要な50%を下回ります。それでも２０１９年、議会は国名変更を可決します。国の発展を考えるとＥＵに加盟したかったのです。

北マケドニアを訪れた後、番組取材でドイツのミュンヘンを訪れました。ドイツは第2次世界大戦でのナチスドイツの責任と向き合っています。グローバル社会に生きる国家の責務だと考えているからです。

たとえば当時のメルケル首相は式典などで謝罪の言葉を述べています。街には犠牲になったユダヤ人の記憶を受け継ぐ「躓《つまず》きの石」が、あちこちにあり

ホロコーストの犠牲者を追悼する「躓きの石」
（写真：ロイター／アフロ）

ます。この石の前の住宅に住んでいて、ナチスに殺されたユダヤ人の名前が刻まれているのです。子どもたちが学校で挙手する際も、ナチス式敬礼にならぬように、人差し指を一本真上に上げることになっています。

現地に行くことで、初めて教わること、発見できることがあります。それが世界を知る第一歩になるのです。

日本と韓国は厳しい関係になることがあります。私が教えている東京工業大学にも韓国からの留学生がいました。帰国して兵役を終え、ようやく除隊できたという知らせをもらいました。彼も日本と韓国の関係に悩んでいます。

彼は日本が好きで、日本語も堪能。将来は日本で就職したいと考えていました。関係性が悪い状況では「日本で働けるか」「周囲の批判を無視できるか」。国家の対立のはざまで、一人の若者の人生が揺れ動いています。

相手を批判したり、否定したりしているだけでは、前に進むことはできません。グローバル社会で生きていくには、この違いをどう乗り越えていけばよいのか知恵を出していかねばなりません。

「内在的論理」というキーワードがあります。言い換えれば、国には国としての、国民にはその国民としての考え方や価値観があるということを意味しています。グローバル社会に生きるうえで、ぜひ覚えておいてほしいキーワードです。

今回の講演には多くの高校生や大学生だけでなく、中学生も参加してくれていました。学校で学んでいる間は、語学力を身につけ、留学や研修などで海外を体験してみることも、グローバル社会を生きていく重要なステップになります。

これから、異なる文化や歴史を背景に育ってきたたくさんの人々と出会うはずです。そこで、相互理解が深まります。世界で起きていることに関心を持って、自らの頭で判断し、確かめるという経験を積んでおくとよいでしょう。

## 人との結びつきを大切に

ここ数年、世界では若者たちが社会を動かす大きな力になっています。

２０１９年は世界各地でデモのニュースが目立ちました。

香港では、中国の影響力が強まることによって「一国二制度」へ危機感を抱いた大学生などがデモを続けてきました。11月の区議会議員選挙では民主派候補が議席数の8割強を占めました。香港の被選挙権は21歳です。若者は将来を託す政治への関心が高いのです。ただし、その後中国の圧力が高まって民主派候補は立候補できなくなり、「民主派の女神」と言われた周庭（アグネス・チョウ）さんはカナダに亡命を余儀なくされました。

一方、地球環境問題で世界から注目される若者がいます。スウェーデンのグレタ・トゥンベリさんです。それは地球温暖化の危機感を訴えるたった一人の行動から始まりました。その行動に世界が共鳴し始めたのです。たった一人の行動でも世界を動かすことができるのです。

若者たちの行動について解説した講演会の会場から寄せられた質問を紹介します。

質問　自分と異なる宗教を信じる人々をどう理解すればよいでしょうか。

池上　たとえば信仰が異なっても理解し合える一致点があるはずです。「人間よりもはるかに強い力があることによって、人間は生かされているのではないか」という共通理解です。信じる神が違っても、神に対する畏敬の念があるからです。

質問　差別的な思想を持つ人々にどう対応すればよいですか。

池上　欧米諸国を訪れたとき「これは差別されているな」という体験をしたことが何度もあります。そうした場面に遭遇したら、毅然として対応するしかないでしょう。日本人としてというよりも、一人の人間としてのプライドが大事ではないでしょうか。また、他人の差別的な言動を反省材料として、自分を戒めるとよいと思います。

質問　外国人労働者が増えています。どう接すればよいですか。

池上　在留資格に関する法律が改正されました。人材不足が深刻な14業種を対象に、一定の技能と日本語能力が認められた外国人労働者の受け入れを拡大します。

気をつけたい点があります。いまは日本で働きたい人たちが大勢いても、自国が発展して給料が上がれば、わざわざ日本に来なくなるかもしれないのです。

そういうときに備え、出稼ぎ労働者としてではなく、一人の人間として人間関係を築いておくことが大事でしょう。外国人労働者は母国にいる親族や友人らとも情報交換をしています。企業や生活環境に関する評判はすぐ伝わります。

質問　アフリカ諸国をどのように考えていけばよいですか。

池上　グローバル化というと欧米やアジアを想像しがちです。これに対してアフリカには「援助の対象」という発想を持っていないでしょうか。アフリカはあまりに大きく、沿岸部は経済発展しやすい環境があるのに対し、内陸部は物流にコストや時間がかかってしまう課題がありますが、いまや「援助ではなく投資をしてほしい」というのが、基本的な立場でしょう。その認識を持つことが必要です。

## 自らの視点を養って

世界を知り、視野を広げるためには「何が起きているのか」「背景は何か」を知ることが大切です。日々の学びのなかで、情報を見極める自らの視点を養っていきましょう。

２０１９年は東西冷戦が終わり30年という節目の年でした。米国とソ連が鋭く対峙した歴史の大きな転換点でした。

冷戦後、「グローバルスタンダード」という考え方が広がりました。企業経営などの分野で注目されました。ただ、私は「これは米国の価値基準ではないか」と疑問を持っていました。国や地域にはそれぞれ独自の取り組みがあるからです。

たとえば欧州連合（ＥＵ）には戦争をなくそうと築き上げてきた長い歴史があります。英国の離脱問題がありましたが、ＥＵは独自の市場やルールを実現してきたといえます。

高校生や大学生からも質問が寄せられましたので紹介します。

質問　ニュースや情報を知る上で気をつけるべきことは何ですか。

池上　ニュースを報じるのは人間です。一人ずつ考え方が違い、報道の仕方が変わることがあります。大事なことは新聞やテレビなど複数の報道を見て、違いを知ることです。そして自分はどう考えればいいのか、自分なりの見方を身につけてください。

質問　日本人の価値観が変わってきています。働き、生きるために何が大切ですか。

池上　リベラルアーツ教育が大きな力になると思います。人間としての根っこを育て、自由な発想を育むことで人生の課題を乗り越える人間力を鍛えるのです。たとえば東西の哲学や倫理、いわゆる人文科学といわれるものを学ぶことが大事だと思います。

質問　異文化を理解する上で大切な教育とは何ですか。

池上　そもそも世の中には多様な文化や習俗、宗教があります。その実情を知り、私たちとの違いに好奇心を持って接し、教えを乞《こ》うことです。そんな感覚を育むことです。

質問　資本主義は壁にぶつかっているのではないでしょうか。その壁をどう乗り越えていけばよいでしょうか。

池上　たとえば東西冷戦時代には、資本主義が社会主義を意識して「革命が起きないようにするために格差を小さくしよう」と考え、社会保障を手厚くする取り組みにつながっていたように思います。
冷戦後は「資本主義」が勝った気になり、「マーケット至上主義」が広がり、格差や貧困という問題が深刻になってきました。ポスト資本主義のあり方が問われているのです。資本主義でも社会主義でもない道はないのか。「第三の道」を模索することが結果的に資本主義の矛盾や欠点を改革していくことになると思います。

# 学生たちの反乱はなぜ起きたのか

## 「日本のカルチェ・ラタン」と呼ばれた

いまから半世紀ほど前の１９６８年は、不思議な年でした。世界中で若者の反乱が同時多発的に起きたからです。

一体なぜだったのか。いまフランスやチェコなどを回りながら、当時の様子を取材しています。

この年、日本では東京大学と日本大学でほぼ同時に学生たちの「異議申し立て」が起きました。東大は医学部学生の不当処分撤回要求であり、日大は大学による使途不明金の疑惑解明要求と、内容は異なっていたのですが、これをきっかけに全国の大学で、それぞれ独自の要求を掲げて学生運動が盛り上がりました。

69年になると、東京工業大学では学生寮の規約改正をめぐって学生自治会がストライキに入りました。

東京の神田には日大のほか明治大学や、当時は中央大学のキャンパスもあり、学生たちと機動隊が路上で激しく衝突しました。この様子を当時のマスコミは「日本のカルチェ・ラタン」と呼びました。

「カルチェ・ラタン」とはフランス・パリの学生街のこと。当時フランスでも学生たちの「異議申し立て」が激しく、学生街で警官隊と衝突を繰り返していたからです。

この運動は、その後「五月革命」と呼ばれるようになります。フランス社会が大きく変わるきっかけになったからです。

この年、西ドイツでもカリスマ的指導者ルディ・ドゥチュケ指導の下、学生運動が盛り上がり、その中から過激な「ドイツ赤軍」が

東大安田講堂前で行われた決起集会
（写真：時事通信フォト）

生まれます。この様子など、日本の学生運動の過激化から「日本赤軍」が誕生したことを髣《ほう》髴《ふつ》とさせます。

さらに翌年にはイタリアでも過激組織「赤い旅団」が組織され、元首相や大企業経営者の誘拐・殺人を実行してイタリア国内を震撼《しんかん》させました。

一方、米国内では黒人差別撤廃を求める公民権運動が盛り上がり、中心的指導者だったマーチン・ルーサー・キング牧師が暗殺されました。全米各地の大学ではベトナム戦争反対の集会も活発に開かれ、鎮圧に出動した州兵によって学生がキャンパス内で射殺される事件も起きました。

## 東西両陣営の内部で体制批判

当時は東西冷戦時代ですが、東側においても体制変革の動きが起きました。68年3月にチェコスロバキア（現在はチェコとスロバキアに分離）では共産党が民主化へと動き出しますが、ソ連軍をはじめとするワルシャワ条約機構軍の戦車部隊によって押しつぶされます。いわゆる「プラハの春」です。

どうして東西両陣営の内部で同時に体制への「異議申し立て」が起きたのか。東側では、ソ連型の経済が行き詰まりを見せ、体制への不満が爆発しました。一見強固に見えた社会主義体制の綻《ほころ》びが露呈したのです。

一方、西側では激化するベトナム戦争への嫌悪感が広がっていました。当時の米国は徴兵制があり、若者たちは、いつ死地に送られるかもしれないという恐れを持っていました。またリンカーンによる奴隷解放宣言があっても一向に改善しない黒人差別への怒りもありました。

日本やドイツ、フランスでは自国政府が米政府と共同歩調をとっていることへの不満や、共産主義運動組織がスターリン批判を契機に分裂し、一部が過激化したことも要因でした。しかし、それ以上に戦後十数年経《た》って安定してきた社会への不満や変化を求めた若者たちの情熱が一気に噴き出たのでしょう。当時、先進国では大学の大衆化が進んでいました。それまで一握りのエリートでしかなかった大学生の数が激増。そんな中で自分の立ち位置を模索した学生たちが多かったのだと思います。

当時の大学生たちは、あらゆることに怒りを募らせ、「変革」を求めていました。何に怒っていたのか、彼らが求めた「変革」とはなにか。キャンパスに立て看板が全くなくなった平和な大学を見るたびに、答えが見つからない疑問を持ってしまいます。

# 若者の危機感を受け止められるか

## ひとりで呼びかけてきた

２０１９年9月23日、国連本部で開かれた「気候行動サミット」に出席した16歳の少女の訴えは衝撃的でした。9月25日付の日本経済新聞朝刊は、次のように伝えています。

〈「よくそんなことが言えますね」。開幕式で怒りに声を震わせたのは、スウェーデンの環境活動家グレタ・トゥンベリさん（16）だった。各国が「緊急性は理解している」と言いながら気候変動対策に背を向けた結果、次世代にツケを回していると首脳らを糾弾した〉

グレタさんは地球温暖化に危機感を持ち、世の大人が真剣に対策に取り組んでいないのではないかと、２０１８年夏から、学校を休み、たったひとりでスウェーデンの国会議事堂の前に座って対策を取るように政治家たちに呼びかけてきました。

これは「学校ストライキ」と呼ばれ、最初はたったひとりの行動でしたが、瞬く間に世界に広がりました。国連でのサミットを前に9月20日には世界１５０カ国以上で約４００万人の若者が一斉にデモ行進しました。日本でも集会やデモ行進が行われましたが、欧米での盛り上がりほどではありませんでした。

学校を休んでまでのグレタさんの行動には賛否両論があります。欧州では概して好意的な受け止め方が多かったようですが、米国ではＣＮＮなどが活動を客観的に紹介する一方、トランプ大統領に好意的なＦＯＸニュースは「学校を休んでもいいのか」という批判の声を伝えました。日本国内でも否定的なコメントが少なくありませんでした。

しかし、このところ毎年のように欧州を襲う熱波を経験すれば、温暖化に対する危機感を持つのは当然のことでしょう。日本でも相次ぐ台風被害。日本列島に近づいても台風の勢力が衰えないのは、日本周辺の海水温が高いからです。

10代の若者は純粋です。グレタさんの思い詰めたような顔を見ると、彼女あるいは世界の多くの若者たちが危機感を募らせるまでに温暖化対策を怠ってきた我々大人たちの責任を感じます。

もしあなたのお子さんが、「温暖化対策を求めてデモに行く」と言い出したら、どうしますか。あなたが学校の先生だとしたら、教え子が「デモに行く」「ストライキをする」と言い出したとき、どんな対応をするのでしょうか。結局は大人が問われているのです。

## 女性の活躍が目立つ

世界では若い女性の活躍ぶりが目立ちます。香港で民主化運動の先頭に立っていた周庭さんは、日本の文化に憧れ、独学で日本語を勉強してきました。香港で会いましたが、その日本語能力には瞠目《どうもく》しました。

彼女が民主化運動に参加したのは10代半ばだったというのですから驚きです。それだけ香港の未来に危機意識を持っているのですが、香港行政府のバックには中国共産党の存在があります。果敢に戦い続けてきた姿には頭が下がります。

さらにパキスタンのマララ・ユスフザイさんは、女性への教育を求めて過激派に命を狙われ、頭部に銃弾を受けました。それでも運動をやめることはなく、２０１４年には17歳でノーベル平和賞を受賞しました。

彼女たちの奮闘ぶりを見ると、「大人のあなたは何をしているんですか？」という問いが

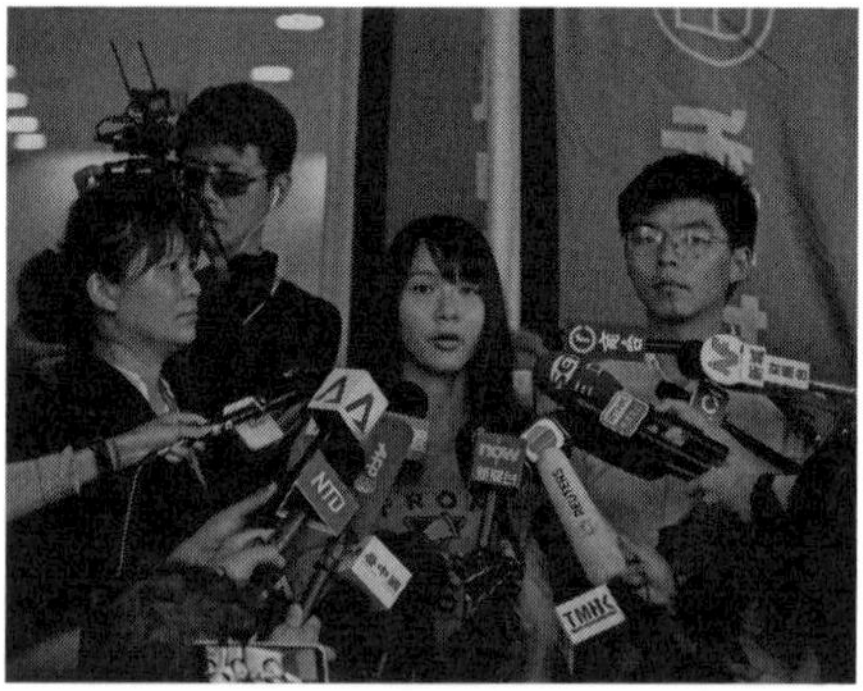

周庭さんは香港の民主化運動で「女神」とも呼ばれた。20年に反政府デモをめぐり逮捕され、21年に釈放されてからはカナダに留学、亡命した（写真：AFP／アフロ）

聞こえてくるような気がします。

　私たちは、若者たちの危機感をしっかり受け止めることができるのでしょうか。

## 論争に揺れる米大学教育の多様性

### 司法判断が注目された

　米国の大学が実施している「アファーマティブ・アクション」をめぐり議論が起きました。これは日本語で「積極的差別是正措置」と訳されます。米国では、長年黒人に対する差別が続いてきたため、十分な教育を受けられない黒人が多数存在します。十分な教育を受けられないと、高い報酬の職業に就くことが難しくなります。これでは、その子どもたちも十分な教育が受けられず、貧困から抜け出せないのではないか。いわゆる「貧困の連鎖」が続いてしまう。

　この人たちが貧困から抜け出せるようにするためには、十分な教育を与えることだ。

　この考えから、米国の大学では、黒人であれば、たとえ入試の成績が白人学生より低くても、合格させてきたところがあります。これが「アファーマティブ・アクション」です。

今回はハーバード大学とノースカロライナ大学でのアファーマティブ・アクションが裁判で否定されました。２０２３年6月、米連邦最高裁判所は、大学の入学選考において人種を考慮に入れてはならないとの判断を示したのです。人種を考慮する入学選考は、人種や肌の色、国籍による差別を禁じた「公民権法」に違反するという判断です。

　これまで公民権法は差別されてきた黒人の権利を守るものでしたが、今回の判決では一転して公民権法が白人の権利を守るために使われました。皮肉なものですが、白人やアジア系の受験生の中には、「アファーマティブ・アクションによって、自分たちより成績の悪い学生が優先的に入学を認められている」という意識を持っている人たちもいるのです。

　今回、アファーマティブ・アクションは否定されましたが、これまで大学の多様性を確保するという役割を果たしてきたことも確かです。

　入学試験の成績だけで合否を判断していると、キャンパスは白人と一部のアジア系ばかり

大学入学選考の積極的差別是正措置を巡り賛成、反対の声を上げる人々（写真：ロイター／アフロ）

になってしまい、ダイバーシティー（多様性）が確保できなくなってしまう。これが多くの大学の思いで、アファーマティブ・アクションは学内の多様性を確保する役割も果たしてきました。

多様性があってこそ、教育や研究の場面で生産的な取り組みが行われる可能性が高くなるというわけです。米国の知的分野での生産性の高さを見るにつけ、多様性の確保が大事であることがわかります。

## 日本も無関係ではない

しかし、日本では意外に知られていませんが、米国の大学ではかねてから、卒業生の子弟や高額寄付者の子弟を優先して入学させることもしてきました。それこそ「ズルい」と言いたくなりますが、大学には大学の論理があります。卒業生の子弟を受け入れれば、卒業生は喜んで母校に寄付をしてくれるだろうから、その資金で教育環境を整備できる。高額寄付の資金で奨学金制度を充実できれば在学生に奨学金を渡すことができる。こんな割り切った考え方なのです。

たとえ子弟を受け入れても、授業について来られなくなったら退学させればいいだけのことだから、構わないという意識も働いているのでしょう。

この問題は、日本ではどのように受け止めればいいのでしょうか。

というのも、東京工業大学が２０２４年４月入学の学士課程入試から順次「女子枠」を導入することを決めたことについて、さまざまな議論が巻き起こっているからです。

東工大の学士課程の女子学生の比率は、わずか13％。これでは十分な多様性が確保できないという切迫感が背景にあります。

とはいえ、「女子枠を設定したら、入れるはずの男子学生が入れなくなる」という不満の声も出ています。多くの人が納得できる多様性確保の方法はどうあるべきか。これは東工大だけの課題ではないはずです。

## 一票は民主主義の基盤

### 自民党が大きく票を伸ばした

安倍晋三元首相が銃撃されて死亡するという衝撃的な事件が起きた、２０２２年７月８日の2日後に迎えた参院選の投票日。読者の皆さんは、どんな気持ちで投票所に足を運ばれたでしょうか。

私が出演したテレビ東京の選挙特番「池上彰の参院選ライブ」では、番組の中で視聴者アンケートを実施。「今回の事件で投票先を変えたか」と聞いたところ、約10％の人が「変えた」と返答しました。

もちろんどう変えたかまではわかりませんが、全体として見ると、多くが自民党に向かったように思えます。というのも、事件前の段階での情勢調査では、各メディアとも自民党の予想獲得議席を59議席前後と見ていたからです。しかし、結果は63議席。終盤になって自民党が大きく票を伸ばしたことがうかがえるのです。

ここで私が思い出したのは、１９８０年6月の衆参同時選挙中、当時の大平正芳首相が病に倒れ、急死した出来事です。このとき自民党は、党内抗争から野党が提出した内閣不信任決議案の採決に一部議員が欠席。不信任案が可決されてしまい、大平首相は衆議院を解散。当初から予定されていた参議院選挙との同時選挙になりました。

当時私はＮＨＫ社会部の記者として東京都内の選挙区の「票読み」を担当していました。票読みとは、各候補がどれくらいの票を得るか事前に取材して予測をすることです。ＮＨＫの政治部は国政全般を取材しますが、社会部は東京都内の選挙区ごとの得票予想を担当する役割分担になっていました。

大平首相のまさかの急死で、選挙情勢は一変。党内で抗争していた自民党の派閥は、一転して「弔い選挙」を前面に掲げて団結し、自民党が圧勝しました。

一国の首相の死は、これほどまでに世の流れを変えるものだと知りました。今回も、元首相の死は、それだけ大きなインパクトがあったのです。

投票日当日、テレビ各局は趣向を凝らした選挙特番を放送します。特番で安定感のあるのは、やはりＮＨＫですね。事前に緻密《ちみつ》な票読みをし、期日前投票に訪れる人たちにも取材しています。

その上で、当日も全国各地の投票所の前に学生アルバイトを張りつけて出口調査をしています。これだけの準備をしていればこそ、正確で速い当確を出すことができるのです。

これに対抗して民放も速報を競いますが、残念ながらテレビ東京は、そこまでのマンパワーがありません。速報合戦では後塵《こうじん》を拝してしまいます。

## 「知的エンタメ」に徹する

そこで私が担当する番組では、従来の発想を変え、速報ではなく、選挙の仕組みや候補者の横顔、政党の特徴などを紹介する「知的エンターテインメント」に徹することにしました。

たとえば共産党本部の中を見学したり、機関紙「しんぶん赤旗」の編集部にインタビューしたり、公明党や創価学会を探訪したり、候補者の選挙事務所の中を紹介したりと、従来にない手法を開拓してきました。

すると、それから間もなくして、他局が「共産党探訪」の企画を放送するではありませんか。すっかり真似されてしまいました。

さらに選挙特番の演出も、候補者に厳しい質問をしたり、候補者の面白いエピソードを紹介する「脱力プロフィール」を始めたり、すっかり似た演出になってしまいます。

他局に真似されるだけの内容を放送する。これぞテレビ東京の真骨頂ですね。

でも、これだけ各局の演出が似てしまいますと、さらに新たな手法を開拓しなければなりません。そのためには、若いスタッフの斬新なアイデアが求められます。そろそろ後進に道を譲るときが来たのかもしれません。

選挙にも選挙報道にも夢中になる。選挙には、そんな魅力があるのです。民主主義の基礎・基盤なのですから。

# 後世へつなぐ3・11の記憶

## 石碑が伝えていた大津波

また3月11日がめぐってきます。あの日のあの時間、自分は何をしていたか。多くの人が今でもその時のことを語れるでしょう。

あれ以来、私は毎年夏休み期間中、福島県の小中学生たちに、福島の復興の様子を広く人々に伝える工夫や努力について授業をしています。

ところが2018年、福島県の先生から、小学生たちにとって、あの日の記憶はおぼろげになっているという話を聞きました。驚きましたが、考えてみると、その通りです。

たとえば小学校5年生にとって、大地震と大津波が来たのは3歳のころのこと。記憶はないでしょう。大人たちにとってはきのうのようなことですから、いちいち子どもたちに伝えなくてもわかっているだろうと思ってしまうのですが、実際はそうではないのです。

「子どもたちも覚えているはず」という大人たちの思い込みから、悲劇の伝承が途切れてしまう危険があるのです。

大津波が来たとき、高台に逃れた人たちが、苔《こけ》むして読めなくなっている石碑に、「これより下に家を建てるな」という趣旨の文章が刻まれていることに気づいた、という話がありました。

かつて大津波で被害を受けた人たちが、後世に教訓を伝えようとしたものでしたが、かないませんでした。当時の記録伝達手段は、石碑だったのです。

次の世代の人たちに、地震と津波の恐ろしさを伝えていくには、どうしたらいいのか。

たとえば岩手県大船渡市の「津波伝承館」は、地震直後から津波が押し寄せるまでの一部始終を撮影した動画を公開しています。映像を見ましたが、改めてあの日の恐怖が蘇《よみがえ》ってきました。

また、体験者から聞き出した体験記をウェブサイトに掲載しています。

## 悲劇を体験した人々の思い

しかし、いずれ津波を体験した人もいなくなる日がきます。そのとき、次の世代にどのように危険を伝えていけばいいのか。

いまになって思えば、津波で陸地に運ばれた船の残骸を、そのままそこに残しておけばよかったのではないかとか、壊れた建物をそのまま保存しておけば……とかいう声も出ますが、あのときの悲劇を体験した人にとっては、思い出したくないという気持ちもあるでしょう。

そういうときには、こういう手法もあるのだと知りました。先日、宮城県気仙沼市から「復興祈念公園整備のためのクラウドファンディング」の知らせを受け取ったからです。

気仙沼市では１３００人を超える人々が犠牲になりました。あの悲劇を伝えるための施設を建設するというのです。「震災の記憶を未来へつなぐべく、追悼、伝承、再生をコンセプトにした復興祈念公園の整備を進めています」とパンフレットでは説明しています。

そのための費用は、クラウドファンディングという形式、つまり一般からの募金でまかなおうというわけです。

こうした施設の建設に市の予算を支出しようとすれば、「税金はもっと復興に直接役に立つことに使え」という声も出てくるでしょう。でも一般から資金を募るのであれば、不満は出ないでしょう。目標金額は２０００万円でした。

この施設ができたら、子どもたちを毎年ここへ連れてきて、あの日何が起きたのかを伝え

東日本大震災の際、津波によって壊滅的な被害を受けた（写真：AFP／アフロ／11年9月）

続けてほしいと願います。

## 歴史の記憶が風化することへの憂い

### 人々の力や意志の強さを感じる

１９４５年8月、米国が世界で初めて原子爆弾を広島と長崎に投下し、多くの人々が犠牲になりました。8月6日と9日は、犠牲者の魂を慰め、あのような戦争の惨禍を繰り返さないという決意を新たにする日でもあります。

原爆投下後、広島の街には「少なくとも75年は草木も生えないだろう」といわれました。ところが廃虚から見事に復興を遂げ、日本経済を支える西日本有数の大都市になりました。絶望の淵から戦後を生き抜いた人々の力や意志の強さを改めて感じます。

私と広島のつながりは、70年代後半、ＮＨＫ広島放送局の呉《くれ》通信部に在籍していた時代に遡ります。カメラを持ち、地域のニュースを取材して回っていました。

呉は戦艦大和が建造された造船所があった場所。広島に原爆が落とされたとき、呉の街からもきのこ雲が見え、「広島に大きな爆弾が落とされたようだ、助けに行こう」と多くの人が被爆直後の広島に入って被曝《ひばく》しました。

後遺症に悩む多くの被曝者の人たちや、その二世たちから話を聞きました。２０１６年5月、現職の米大統領として初めて広島を訪れたオバマ氏の演説を間近で見たときは、「被爆者はこの日を待ち望んでいたに違いない」と、思わず涙があふれたものです。若いころの広島での取材経験は、後の記者人生にもつながる貴重な時間でもありました。

現職の米大統領として初めて広島を訪れたオバマ氏と日本被団協の坪井直氏（写真：代表撮影／AFP／アフロ）

日本は戦後、人々の努力によって復興し、経済は豊かになりました。戦後に生まれた私たちは、犠牲者を思い、その冥福を祈ります。そんなときにふと考えます。「戦争の記憶をどのように伝えていけばよいのか」と。
私は東京や名古屋、松本などの大学で教えています。そこで気づくことがあります。それは、20歳前後の学生には戦争の知識がほとんどないという点です。高校までの授業で学んでいたとしても、日本の歩んだ歴史として戦争を認識し、考える機会があったのでしょうか。

たとえば、講義のなかで「1941年12月8日に何があったか覚えていますか」「1945年6月23日は何の日かわかりますか」と尋ねたときです。教室にいる学生らの反応をみると、そもそも日付の意味がわからず困っているように見えるのです。

12月8日は日本軍が米真珠湾を攻撃した日です。そういえば「ビートルズの元メンバー、J・レノンが暗殺された日」と答えた学生がいました。6月23日は沖縄戦での日本軍による組織的戦闘が終わったとされる日。沖縄では「慰霊の日」となります。

## 現代史の授業に十分時間を割けない現実

若者たちの記憶のなかでは「日本は戦争をしていた」という歴史すら風化してしまっているのではないかと危惧しています。その背景には、高校の授業日程や核家族化などが大きく関わっているのではないかと考えています。

高校では大学受験に備えるため、現代史の授業に十分時間を割けていない現実があります。大学受験で現代史がほとんど出題されないので勉強する気になれない生徒も多いようです。また、核家族化が進んだ結果、戦争体験を持つ祖父母のような世代との会話が減った面も影響していたのではないかと思います。

ひとたび戦争が起これば多くの犠牲者が出て、苦しみや悲しみを生んでしまいます。戦争には勝者も敗者もありません。

かつて第1次世界大戦後、世界恐慌の荒波が世界を覆いました。各国が保護主義を強め、相次ぎ高関税政策を打ち出したことが恐慌を深刻化させました。

一方、第1次大戦の敗戦国ドイツは、巨額の賠償金を課せられ経済が疲弊してしまいました。やがて民族の尊厳を鼓舞する独裁者が現れ、欧州を未曽有の大戦へと巻き込んでいったのです。

いま、20世紀の二つの大戦を教訓に生まれた「国際協調」が揺らいでいます。トランプ氏だけでなく、自らの国の利益を最優先に考える「自国第一主義」が広がり始めているからです。保護主義が台頭しています。

歴史を知り、その歩みを振り返る大きな意味は、戦争のような過ちを繰り返さないためではないかと考えます。

8月は6日には広島で、9日には長崎で「原爆の日」、15日に「終戦の日」を迎え、日本各地は祈りに包まれます。歴史と向き合い、その意味を改めて考える機会にしてほしいと思います。

# 海外では相手を尊重し、話を聞こう

## 今夏、中東を取材した

学生たちの中には、２０２３年の夏に海外を旅した人、留学するために準備を始めた人もいるでしょう。海外は日本と異なる文化や暮らしを知る貴重な機会です。そこで私自身の体験をもとに、現地でコミュニケーションする上で配慮したい点をアドバイスします。

私が海外を取材し始めたのはＮＨＫを辞めてからのこと。フリーになった後、訪れたのは中東、アフリカ、アジア、欧米諸国など総計で90カ国・地域に及びます。テレビ番組づくりの収録では制作スタッフと現地を訪ねますし、自らのテーマで本を執筆するような取材では単独でも現地へ飛びます。この夏もバーレーン、クウェート、ドバイを一人で取材してきました。

紛争地や難民施設など専門的な取材が必要なときには、現地の案内役や通訳の力も借りますが、基本的には自分の英語力で会話をしています。初対面の人であっても自分の言葉で語りかければ、気持ちを伝える効果は大きいと思います。

就職後、少しずつでも英文法や英会話のフレーズを学び直しておいてよかったと思います。

忙しい記者生活の合間でも、工夫すれば15分程度の時間を見つけることができ、英会話のテキストを読み直していたのです。

海外取材を経験するなかで学んだことも多かったですね。いまも自分なりに工夫し、心掛けていることがあります。

第1は「相手に対するリスペクトを忘れない」という姿勢です。

紛争など緊迫したテーマを取材する現場では、考え方が根本的に異なっていたり、主張がぶつかったりする場合もあります。それではせっかく取材をしても相手から言葉を引き出すことはできません。

## 相手の立場で考える

「リスペクトする」とは、相手の立場に立って話を聞くという姿勢ではないかと考えています。相手が主張したいことは、自然と繰り返すことが多くなるものです。そこをしっかり受け止める姿勢を見せるということです。

そうすれば、相手と異なる考え方や対立するような疑問を投げかけたとしても、冷静に反論してくれるものです。

第2に挙げたいのは、初めて会う人にはできるだけ現地語であいさつしてから会話を始めるようにしていることです。

英語は世界各地で使われていますが、現地の言語を使えば、その場の雰囲気がなごみます。相手との心の距離も縮まるでしょう。たとえば、フランス語であいさつをした後、「貴国の言葉があまりうまくないので、英語で質問させてください」と礼儀を示せばよいのです。

もちろん、旅行や留学での会話と私のような取材では環境が異なるかもしれません。それでも相手とコミュニケーションをするという共通点があります。大事なことは、言葉の壁を越えて、相手の心とつながる工夫をしてみるということではないかと考えています。

日本には「郷に入っては郷に従え」という言葉があります。これは海外でも通じることです。異なる文化や社会で過ごすときは、土地の習慣やルールを大事にして溶け込むようにしましょう。

こうした工夫ができるようになったのも、海外で冷や汗をかいた経験が生きています。恐れることはありません。あなたも少しずつ学んでいけばよいのですから。

# 寛容性のある社会へ

## 若い世代に託す

２０２１年７月にオンラインで東京工業大学の「池上彰先生に『いい質問』をする会」を開催しました。学生たちの疑問は社会のあり方や人生の幸せについても及びました。

質問　政府、企業、国民がよりよい日本を目指しているのに、うまく進んでいるように思えません。何が課題なのでしょうか。

池上　いい質問だけれど非常に難しいですね。社会や組織をよりよく変えようとしても、改革に必要な知識や経験を持ったリーダーがいない場合があります。従来の組織の中で既得権を持つ人は、変えたくないと思うかもしれません。

たとえば日本はデジタル技術で先端的な国づくりを目指してきたのに、さまざまな課題が浮き彫りになりました。閣僚がＵＳＢメモリーのようなＩＴに詳しくないことがありました。リモート勤務が奨励されるなか、紙の書類に押す印鑑をどうするのかという日本の課題も話題になりました。

改革には若い世代に託したり、外部人材を登用したりする方法もあるでしょう。台湾で新型コロナウイルス対策の新システムをつくったデジタル担当相のオードリー・タン（唐鳳）氏のような人物の登用は日本にも参考になるでしょう。

**質問**　どうすれば、それぞれが幸せになれる社会をつくることができるでしょうか。

**池上**　これも難しいですね。人がそれぞれ幸せを感じる場面というのは、「居心地の良さ」に通じるのではないでしょうか。「居心地の良さ」を感じる社会のあり方を考えてみて下さい。

そのために何が必要かを考えてみましょう。その実現に取り組んでくれる政党や政治家を応援するという方法もあります。自ら国や地方の議員に立候補するという選択肢もあるでしょう。

## 外部に耳を傾ける

**質問**　日本や世界を変えるには政治が大切だと思います。しかし、政治家は万能ではありません。政治家というより、官僚に対して政策提言ができるような存在、知識人が必要だと思います。

池上　かつて、大平正芳首相は外部の専門家や有識者の提言を大事にしていました。彼自身が教養人で勉強家でした。政治家として足りないところがあれば、謙虚な気持ちで、虚心坦《たん》懐《かい》に受け止めるという姿勢が大事なのだと思います。

一方で世界にいえることですが、「反知性主義」というか、知識人の発言を受け入れないリーダーもいます。一握りの側近だけで意思決定をすると、大きな問題を引き起こしかねません。世界ではいま、多様性を重んじ、異なる意見も大事にする寛容性が求められています。

質問　私は今年、選挙権を得ます。政党の政策や政治家の活動を見ていて、どこに投票すべきかわからなくなります。どのように候補者を選べばよいのか教えてください。

池上　あくまでも私個人の考え方として聴いてください。私は消去法で投票する人を選んでいます。自分の考え方と一致する候補者はなかなかいないもの。そこで、「この人だけは嫌だ」と消していき、残った人に投票します。「よりましな候補」というよりは「より悪くない候補」を選んでいるのです。

## 研究に打ち込む科学者に支援を

質問　日本の企業は今後、世界市場で生き残っていけるでしょうか。重要視される戦略は何でしょうか。

池上　ここ数年、多くの日本人がノーベル賞を受賞しました。これらは30〜40年前から粘り強く研究し続けてきたことの成果でもあるのです。まず、大学の科学者が落ち着いて研究に打ち込める支援策が必要ではないでしょうか。

また、競争力を高めるために大事なことは、個人が起業したり、企業が新たな技術を開発したり、自由に取り組める環境をつくることではないかと考えています。民間企業には政府が関与し過ぎない方が動きやすいのではないでしょうか。

かつて、ソニーは録音機能のないヘッドホンステレオ「ウォークマン」を開発し、世界で市場を獲得しました。社内でも賛否両論あったのでしょう。誰もやらないことをやることは難しいことですが、そんなアイデアをかたちにできる経営が必要ではないかと考えています。

質問　ＳＮＳは政治や人権問題にどんな影響を及ぼしますか。意見の違いによって溝が深まるのではないかと心配しています。

池上　米国がよい例ではないでしょうか。トランプ氏を支持するメディア、支持しないメディアはそれぞれＳＮＳも駆使してさまざまな意見を発信します。立場が分かれているわけです。

すると、トランプ氏を支持する人、支持しない人はそれぞれ自分と考えが同じ情報にだけ接するようになってしまう。考え方の違うニュースや主張を認めないだろうし、考えなくなる。つまり、偏った情報にしか接することができなくなる恐れがあるのです。

これはテレビ番組で取り上げたある日本企業の米国での事例です。ニュースをサイトで紹介するとき、立場の異なる意見などさまざまな考え方の記事を読めるような仕組みを取り入れているのだそうです。私たちは賛否両論があることを知る姿勢が大事なのです。

## 持続可能な社会に向けて

質問　世界は新型コロナウイルス問題に直面しています。もっと世界が一丸となって対応できないものでしょうか。

池上　まさに新型コロナ問題は世界が協力しなければならない課題です。東西冷戦時代、天然痘の撲滅のために各国が体制の違いを越えて取り組んだように、今回も世界の協力体制が欠かせないでしょう。

感染予防には手洗いやうがいが大事だといわれます。しかし、世界には飲み水の確保すら難しい地域に住んでいる人々もいます。ワクチンや治療薬が開発された後も持続可能な社会づくりに向けて解決していかねばならない課題があるのです。

日本も国民に接種するワクチンを確保することは大切です。その一方で国際社会での役割も求められるでしょう。自力ではワクチンを入手しにくい国々のために、世界保健機関（WHO）に協力していくという役割があるのではないでしょうか。

# 経済の今を知る

## インフレをどう捉えるべきか

最近、「インフレ」という言葉を聞くことが増えました。これは物価の上昇を意味する「インフレーション」という現象です。影響はガソリンや電気に続き、食品など暮らしに広がっています。少し前までは「デフレ」という用語ばかりだったのに、突然の変化です。

興味深い記事がありました。日本経済新聞朝刊（２０２２年9月10日付）の「カレー価格最高　食材高ピリリ」です。一部紹介します。

「総務省の小売物価統計調査では、7月のカレーライス（外食）の全国平均価格は７０５円と、２０００年の集計開始以降で過去最高となった。この1年の値上がり率は約２％で、３月以降に上昇基調が強まっている」

記事は大きなイラストを描き、カレーの食材になるスパイス、食肉、コメの価格動向を分析しています。産地の事情を伝えながら、店頭での価格動向も調べています。１皿のカレーをつくるためにどれくらいの影響が出ているのかを分かりやすく解説しています。

インフレの影響はどうなるでしょう。調査会社の帝国データバンクは調査（２０２２年９月22日付）で、食品値上げに伴う家計負担額は１世帯当たり年間約７万円増えると試算しました。「負担感の実感は、支出に占める食費の割合が高い低収入世帯ほど相対的に強く、大きな影響を及ぼす可能性がある」と分析しています。

残念ながら、最近のインフレの要因はすぐには解消されないでしょう。原油や穀物の国際価格は、産油国の生産、産地の天候なども影響します。ロシアによるウクライナ侵攻も不安要因です。世界の人口は増加が予測されていて、需要はさらに拡大していくでしょう。

日本は急速な円安・ドル高による輸入価格の上昇にも直面しています。米国がインフレ退治のために相次ぎ金利を引き上げる一方、日本は据え置いているという政策の違いが背景にあります。米国に投資をする動きが強まり、ドルが買われて円が売られやすくなっている事情があるのです。

ただ、大幅な金利引き上げが続くと、経済活動を冷やすという心配もあります。世界経済は新型コロナウイルス禍からの回復途上ですが、景気悪化への懸念が指摘されるようになってきました。世界景気の行方にも関心が集まっています。

かつて日本にも歴史に残るインフレがありました。代表的なものが終戦直後の混乱期と1970年代の石油危機です。70年代は、私の青春時代と重なります。当時は「物価は上がるもの」というのが常識でした。むしろデフレの理解に苦しむほどでした。

でも、石油危機のときは、日本では省エネルギーにつながる新しい技術が開発されたり、人々の生活スタイルが注目されたりしました。燃費効率のよい日本の自動車技術が世界に認められ、市場を獲得するきっかけになりました。

この1~2年、コロナ禍によって非接触、オンラインを活用した新しい仕組みが実用化されました。オンラインはいまでは仕事や生活に欠かせない技術になりました。危機に直面したとき、人間の粘り強さ、たくましさが発揮されるのでしょう。

まさに経済は生きています。経済を理解する生きた教材としてインフレを捉え直してみてください。日々報じられる記事も参考に、要因や動向を整理し、景気の行方に注目してみましょう。

私たちは歴史的な水準にあるインフレの時代を生きているのです。新たな危機を乗り越える道を探っていきましょう。

［第４章］

# 学びを実践する

## 社会の中で働き・生きていくこと

働くということは、これまで学んだことを実践することでもあります。働く中で、世の中のことを知り、自身の価値観を新しくしていくために学び、また、同時に、経験から学びを得るのです。私の新人時代の経験も明かします。

## ナイジェリア集団拉致から考える

まず、2014年6月に掲載した記念すべき第1回コラムを紹介します。当時は東京工業大学リベラルアーツセンター教授（現・リベラルアーツ研究教育院特命教授）という立場でした。

### 教育の重要性

今回から「池上彰の大岡山通信　若者たちへ」と題した新しいコラムの連載を始めます。大岡山とは、私が日ごろ学生たちと共に過ごしている東京工業大学のキャンパスがある東京都目黒区大岡山にちなんでいます。このコラムでは教員生活の中で考えたことや感じたことをテーマに、読者の皆さんと一緒に考えていきたいと思います。第1回は発展途上国の教育問題について取り上げます。

西アフリカのナイジェリアで起きた女子生徒集団拉致事件はショックでした。あれだけの大事件を、あまり大きく扱わない日本のメディアの判断にも驚いています。人気歌手の薬物使用も興味をひく事件でしょうが、もう少し扱ったらいいのにと思ってしまいます。

事件は２０１４年４月に起きました。報道によれば、女子学校の寮が武装集団に襲撃され、10代の女子生徒２７０人以上が拉致されたというものです。メディアを通じて一部生徒の映像が公開されました。米政府が軍や専門家の派遣を表明するなど、国際社会は支援に乗り出していますが、生徒の行方はわかっていません。

犯行声明を出したのは通称「ボコ・ハラム」と呼ばれるイスラム過激派です。「ボコ」とは「（イスラムではない西洋の）偽りの教育」、「ハラム」とは「罪（禁止）」という意味です。正式名称はもっと長いのですが、西洋教育を否定するので、こう呼ばれています。

彼らは、独自のイスラム解釈によって、過激な行動を取ります。イスラムは、本来女性を大切にするはずの宗教なのに、なぜあのような行動に出るのか。

女性は大切な存在だから家庭にとどまるべきであり、学校に行くべきではない。まして欧米流の教育をする学校などは許せない。こんな考えにもとづいて、女子学校を襲ったのです。

そこには、「女性に教育は必要ない」という伝統的な偏見の存在もあるようです。

女性に教育は必要ないと言って女子学校を襲撃している組織としては、パキスタン・タリバン運動もあります。この組織は、隣国アフガニスタンで勢力を拡大するタリバンの影響を受け、「パキスタンのタリバン」を名乗ります。「女性にも学校に行く権利がある」と世界に訴えていたパキスタンの少女マララ・ユスフザイさんを銃撃したのが、この組織の連中でした。

「女性たちは大切にすべきだ」と主張している組織が、少女の命を狙うのですから、行動は矛盾に満ちています。

事件を起こしたボコ・ハラムも「ナイジェリアのタリバン」を自称していたことがあります。タリバンのような極端な思想が徐々に広がっているように見えます。

そもそもアフガニスタンのタリバンも、女性は家庭に入るべきだと主張して、女子学校を

2013年7月、ニューヨークの国連本部で演説する、イスラム過激派に銃撃されたマララ・ユスフザイさん（写真：共同通信社）

閉鎖しました（男女別学だったので、男子校は存続）。

女性は学校に行けなくなったため、医師や看護師になれる女性もいなくなりました。タリバンは、女性が家族以外の男性に肌を見せることを禁じますから、タリバンの妻や娘が病気になったときに診てくれる女性の専門家がいなくなってしまうことに、後から気づくという始末でした。

こうした過激派のメンバーの多くは、満足に教育を受けることもできなかった若者たちです。その結果、視野が狭く、偏った思想に凝り固まり、教育そのものに敵意を燃やしてしまいます。これでは悪循環です。

## 日本も暗い歴史

しかし、かつては日本も「女性に教育は必要ない」といわれた時代がありました。明治の頃は、女子に義務教育を受けさせるのも一苦労でした。

女子にも教育を受けさせるための努力の結果、日本は教育が国の隅々まで行き渡り、人々が読み書きができることで、政府の方針も理解でき、衛生面にも力を入れるようになって、日本は豊かな国に発展できました。教育があってこそ、いまの日本が存在するのです。日本の新たな成長戦略を実現する上でも女性の役割は欠かせないのです。

ナイジェリアはアフリカ有数の経済大国にはなりましたが、彼らに、日本の発展の理由を説明したくなります。

東工大の前身の学校は現在の台東区蔵前にありましたが、１９２３年９月の関東大震災で焼け、翌年、大岡山に移り、１９２９年に「東京工業大学」となりました。

大岡山駅の駅前にキャンパスがあります。正門を入って時計台のある本館に向かう途中に並ぶ桜並木は、春には見事な花のトンネルを作ります。秋には随所に銀杏《いちょう》の木があったことに気づかされます。なだらかな芝生の坂道は、雪が降ると大岡山ゲレンデに姿を変えます。

静かな環境で現代史などを教えながら、国内外の教育について、考えを巡らせています。

# 新人のころ、先輩との雑談が助け舟となった

## 警察の玄関に入れず

今回は、これから社会に出る方、若手社会人の方に向けて、私自身の苦い新人時代の話をしましょう。

「取材相手ともっと雑談をしてみろ」。新人記者時代、先輩が語った言葉が記憶に刻まれています。子どものころから憧れていた記者にはなったものの、取材がうまくいかず、悩んでいたころです。

私は１９７３年春、ＮＨＫに入り島根県松江市にある松江放送局に赴任しました。島根県警察本部や松江警察署を取材し始めると、思いがけない壁が待っていました。署内の刑事課を回って「おはようございます」と元気に挨拶しても、刑事たちは私のことをギロリと睨《にら》むだけ。会話のきっかけすらつかめませんでした。

刑事たちは朝から事件や事故の対応で忙しく、新人記者の相手をする余裕なんてありません。ましてや赴任したばかりの新人の顔なんてわかりません。私はやがて緊張感や不安に囚われ、足がすくんで署の玄関にすら入れなくなりました。

記者は毎日記事を書かなければなりません。新人記者はネタ探しのために聞き出そうと余裕がなくなってしまうもの。これは後から気づいたことですが、取材にも相手との人間関係、信頼関係が欠かせないのです。そのきっかけづくりが雑談であることを先輩は諭してくれたのですね。

そこで刑事たちが時間を持て余していそうな夜を有効に使いました。刑事たちも交代で泊まり勤務があります。事件がなければ暇な時間が生まれます。そこを狙って、私が雑談相手になれるように心がけたのです。

毎日通えば次第に顔も覚えてくれますし、ちょっとしたヒントも投げかけてくれるようになります。自分で工夫してみることが大切なのですね。

## 「斜めの関係」も大事に

新入社員諸君はすでに多くの初対面の人々に名刺を配ったことでしょう。自己紹介だけなら数秒で終わってしまうでしょうし、知らない人と話をするのは勇気がいるものです。新人時代、同期から心配されるほどの人見知りだった私には君たちの心境が痛いほどわかります。

これまでは気の合う仲間との会話が中心だったでしょう。ＳＮＳを使った「一言」だけの会話に慣れてしまっているかもしれません。それも仕方がありません。できるだけ自分の考えを伝えることを意識して会話をするとよいでしょう。

たとえば雑談というのは単に時間をつぶすための会話ではありません。言葉を選んで投げかけ、返ってきた言葉の反応やキーワードから相手の気持ちや性格を察することができます。気の合う人ばかりではありませんし、年齢の離れた世代の人々とも会話する場面も出てくるでしょう。

実は、人生では年齢の離れた人との雑談がとても重要になってきます。特に職場の別の部署の先輩、社外の先輩との関係も大切にしてください。いわゆる「斜めの関係」です。上下関係だと相談しにくいことでも、開き直って尋ねると、教えてもらえることがあります。私もだいぶ助けられました。

新入社員諸君はしばらく会社に貢献できず、居づらい気持ちにもなるでしょう。でも、そこで負けずに、一人前になるためにどうしたらいいのかと悩んでください。そして苦しいときには我慢せず声をあげてください。真面目に仕事に打ち込もうとする君たちを先輩は応援しています。

## 信頼は人生の土台

### 思いがけない再会で知った戦争体験

NHKを退職してフリーになった後、戦争を考えるテレビの特番をつくる取材で思いがけない再会をしました。旧日本軍の特別攻撃隊の元乗員へのインタビューでした。特攻隊というのは、戦時中、爆弾を積んだ戦闘機などで米国艦船めがけて体当たりした攻撃のことです。

実は、この元乗員は、私がＮＨＫ社会部で警視庁担当だった際の警視庁幹部でした。これには驚きました。特攻隊の体験など聞いたことがなかったからです。

なぜ、話をしてくれることになったのか。「戦争中の仲間が高齢になり、亡くなる者も増えている。あの時代のことを誰かが言い残さなくてはならないと思うようになった」。彼はこう答えてくれました。

豊かになった日本の若者たちが、再び戦場に駆り出されることがあってはならない。死と背中合わせだった日々の経験を伝えなければいけないと考えるようになったというのです。

30年ぶりの再会でしたが、相手も私のことをよく覚えていてくれました。互いに懐かしさも手伝って、戦時中の心情や本音を聴くことができました。

ＮＨＫの記者時代、新聞各社あるいは民放と取材競争があります。つかんだ情報をいち早く報じたい気持ちはありました。でも、取材が常に記事になるわけではありません。裏付け取材や取材先を守ることも大切です。いい加減な取材では信頼できる取材先を失ってしまうでしょう。

## 人を見極める力を鍛えて

もちろん記者の仕事とあなたが働く会社の仕事は全く異なります。それでも仕事の基本は、人に会い、説得し、信頼関係を築くことから始まるのではないかと考えます。その信頼関係を築くのは一朝一夕ではかないません。

あなたはこれから、老若男女、有名無名のあらゆる人々と接することになるでしょう。これまでの学生時代では同じような世代と過ごすことが多かったでしょうから、全く新しい体験をするはずです。

ただ、残念ながら人間関係づくりにマニュアルはありません。ウソをつかれたり、裏切られたり、つらい経験をしたりするかもしれません。でも、そうした体験もしなければ、人を見る目は育てられないことも事実なのです。

電子メールやSNSが普及し、用件を伝えるという点では便利な時代にはなりました。ただ、大事なことを伝えたり、人を説得したりするには、直接、相手の顔を見ながら話をすることが大切です。それは用件だけでなく、あなた自身の姿勢を伝えることにもなるからです。

NHK記者になり、松江放送局に赴任した23歳のころ（写真：本人提供）

## 相談できる先輩・友人を大切に

もちろん自ら判断することや、人間関係に悩むこともあります。そんなときのために相談できる先輩や友人をつくっておくことも必要です。本当に頼りになる関係というのは、そう多くはありませんし、お金では買えない財産です。

自身の体験だけでは限界もあるでしょう。そんなときは新聞のコラムや本が生き方のヒントになってくれる場合があります。あらゆる分野で大きな仕事を成し遂げた人物の体験や声には実に参考になるものがあります。意識して眺めてみるとよいでしょう。

いま、世界だけでなく日本でも、人と人との関係をめぐって大きな変化の波が押し寄せています。社会や組織のモラルが問われています。かつては見逃されてきたようなパワハラやセクハラといった問題に対して、勇気を持って批判の声を上げる人々が増えてきているのです。

コンプライアンス（法令順守）といった法律上の問題だけではありません。人間としての生き方が問われるのです。

# 経験は必ず役に立つ——働く上で大切なこと

## 人生の経験はマニュアル化できない

私自身の体験からいえることは、「人生には決して無駄な経験などない」ということです。仕事の担当分野が変わったり、新たな取引先を開拓したり、さまざまな場面に遭遇するでしょう。そんなとき、学んだこと、経験したことが将来の糧になってくれるはずです。

残念ながら、そうした人生の経験を、あらかじめマニュアル化することはできません。失敗も貴重な経験値です。若者ならではの好奇心やフットワークをいかし、恐れることなくチャレンジしてほしいと思います。

そのうえで日進月歩の技術革新には、注目しておいてください。ＩＴ（情報技術）やＡＩ（人工知能）がどんどん進化しています。ブームというレベルではなく、経済や社会の仕組みをも変える大変革期が訪れているのです。

たとえば平成の時代には、子どもたちもあこがれる新しい職業に「ユーチューバー」が登場しました。次世代通信規格「5G」による新しいサービスも始まりました。好むと好まざるとにかかわらず、技術革新は私たちの暮らしや仕事を大きな変革の波に巻き込んでいきます。

時代の先を読むには、常に情報を捉えるアンテナを張り、感度を高めることが大切です。インターネットがこれだけ普及した時代ですから、大都市と地方都市との格差はほとんどないはずです。関心のあるテーマを広げ、引き出しを増やしていくことです。

技術革新の大きな波は、人生にも、仕事にも大きく影響を及ぼしていくでしょう。そうした膨大な情報からどんな意味を見つけ、新たな変化を予測できるかどうか。その価値を見つけ出す作業はあなた自身にかかっています。大きな変化に備えるためにも、経験を大事にしてほしいと思います。

## 仕事も人生も無我夢中

私が客員教授を務める立教大学で2023年5月、「働くこととは何か」をテーマに講演会を開きました。その模様の一部を紹介します。まず、労使関係論や女性労働論が専門の立教大経済学部の首藤若菜教授との対談です。

## とにかく取材がしたかった

首藤　一つの職場で長く働き続けることをどう感じますか。

池上　私はＮＨＫで32年間勤めました。初任地の島根は松江放送局、広島では呉通信部、東京に移り社会部の記者を続けてきました。平成になって首都圏のニュースキャスター、「週刊こどもニュース」の番組を担当したのです。めまぐるしく担当が変わり、仕事の中身も異なっていた。とにかく無我夢中でした。

首藤　なぜ、わかりやすく伝える新境地を切り開けたのですか。

池上　ニュースキャスターになってほかの記者が書いた原稿を読むと「なんてわかりにくいのか」と驚きました。しかも声に出して読む訓練を受けていないので息が続かない。そこで読みやすく短く切ってみたら、わかりやすく伝えられることがわかったのです。

首藤　どのような気持ちで次の一歩を踏み出されたのですか。

池上　ＮＨＫの解説委員になりたかったのですが、専門分野がないとダメだと言われて実現できなかった。そのとき、私にはわかりやすく解説できるという専門性があると気づきました。当時、そうした仕事をしている人もほとんどいなかった。ＮＨＫを辞めたのは取材がしたかっただけなのです。

首藤　辞めるのは不安じゃなかったですか。

池上　不思議なことに不安はなかったです。本を書き始めていて受注もありました。知人の編集者が心配して週刊誌にニュース解説のコラムを手配してくれました。「これでなんとかなるかな」と考えたわけですが、いま思えばまったく無謀でした。

## 会社ではなく仕事を選んだ

首藤　一歩踏み出すのか、安定のために今の職場にとどまるかという岐路って、多くの人が抱える悩みだと思います。

池上　小学生のときに読んだ本がきっかけになって地方で働く新聞記者にあこがれました。大学生のときは「あさま山荘事件」のテレビ中継を見て、テレビ報道の時代が来ると感じたのです。ＮＨＫに入れば地方勤務という夢がかなうだろうと考え、会社ではなく仕事を選んだのです。

首藤　自分がやりたいことを追求するのが大事だということですか。

池上　人生の転機も判断材料になりました。60歳の還暦を迎えたとき、自分が仕事に必要な教育を受けられたのは親の支えもあったけれど、高等教育など日本社会のさまざまな仕組みに支えられたおかげでもあると考えるようになりました。

そこで世の中に恩返しをするときかなと感じたのです。特別な技能はないけれど、学んできたことを若い人たちに伝えることはできるのではないか。そんなときに「大学で教えませんか」という話が来たのです。

池上　私も質問させてください。なぜ学問の道を志したのですか。

首藤　大学院に進学するときには、友人が就職活動をしていて一人レールから外れたような思いがありました。就活はいわゆる就職氷河期のころです。社会でセクシュアルハラスメントや就職差別が問題になり、「なぜこういうことが起きるのか」という学問的探究心から、労働問題だとか女性労働の研究を始めたのです。将来の就職のためにも必死に勉強したということでした。

## 社会での居場所を探そう

### まず自分から動いてみる

立教大学で開いた「働くこととは何か」と題する講演会では、経済学部の首藤若菜教授、学生3人と一緒に、就職活動や仕事について議論しました。対話の一部をさらに紹介しましょう。

学生　自分のやりたいことをどのように考えたらよいのでしょう。

池上　私は高校の政治経済の授業で面白さを感じ、大学で経済学を究めたいと思ったのです。でも、具体的な見通しがあったわけではありません。自分がやりたいことは、自分で動かないと見つけられないでしょう。

学生　私はゼミ研究で雇用問題を考え、就活で人材業界にたどり着いたのです。自らの興味や問題意識に気づけたことが大きかったです。

首藤　「いい企業」や「いい職場」につい

人間とAIのかかわり方について学生たちに話す池上さん（写真：立教大学池袋キャンパス、同大提供／23年5月）

て明確な基準があるわけではありません。どういう基準で会社を選んだらいいとお考えでしょうか。

池上　学生には消費者向けにビジネスを展開する有名企業ばかり選ぶなと言っています。企業との取引やビジネスを主力にする企業もあることを知ってほしい。たとえば自動車や半導体のトップ企業を支える数多くの企業がある。そういう視点が大事なのです。

首藤　どんな業界にどういう企業があるのか調べてみることです。産業の構造を含めて知ることも大事だと思います。

## ＡＩを使いこなすのは人間

学生　人工知能（ＡＩ）によって奪われる仕事、もしくは生まれる仕事とは何でしょうか。

池上　たとえば官僚は国会での答弁書をつくります。過去にどのようなことがあったのか全部整理してまとめます。そういう仕事はＡＩが得意かもしれないけれど、ＡＩをどう使うかということを考えるのは人間の役割ではないでしょうか。

　社会に出たら正解のない問いはいくらでもあるでしょう。求められる答えを探すのではなく、「問いを立てる力」が必要になる。新たな課題を考えるのは人間にしかできないと思っています。

首藤　歴史を振り返ると、技術革新はその時々の雇用を奪ってきたけれど、仕事がなくなることはなかった。ただ、格差を拡大させることはあります。これからの時代はＡＩを使うか、ＡＩに使われるかといった格差が生まれるかもしれません。

学生　人とＡＩは長い付き合いになる。そのかかわり方を考えていけるようになりたいです。

学生　働くことの意味は何でしょうか。対価をもらうだけではないし、やりがいのためだけでもないと思うのです。

池上　自分が世の中の役に立つことをやっているのではないかと考えることがある。働くということは社会に自分の居場所があること。社会から求められているという、自己実現のためといえるかもしれないですね。

学生　やりがいが給料や労働時間などの条件にどのように影響しますか。

池上　やりがいがあり、優雅に暮せて、給料が高ければいいけれど、現実には難しい。結局、さまざまな価値を複雑な方程式に当てはめて解いていくような問題だと思う。

首藤　やりがい、賃金、労働時間の兼ね合いを見つけていくしかないでしょう。最近は休暇と仕事を組み合わせた「ワーケーション」という働き方も注目されています。ただ、仕事をする時間と仕事外の時間をきちんと分けていけるのか疑問があります。リモートの活用などで労働環境が変わるなか、安心して働けるワークルールの確立が求められると思います。

# ボランティア活動のススメ

## やりたいことの見つけかた

「せっかく大学生になったのに、チャレンジしたいことが見つかりません」。学生から、こんな切実な悩みを寄せられることがあります。何かに打ち込みたいと思っているのに、なかなかそのきっかけがつかめないのでしょう。答えが見つからないときのつらさはよくわかります。

これに似たような経験をしたという学生は意外に多いはずです。友人からサークル活動やアルバイトでの体験を聞いて、焦りを感じたこともあるかもしれませんね。そんなときほど答えを急ぐ必要はありません。まず、行動するテーマを見つけるきっかけづくりから始めてみましょう。

そうしたヒントの一つになりそうなのがボランティア活動です。大学には学生の活動を支援するボランティアセンターのような専門組織があります。ホームページを通じて活動を紹介したり、参加者を募集したりしています。先輩の活動体験談を聞く機会も設けられるので一度参加してみてはいかがですか。

活動にはさまざまな取り組みがあります。たとえば子どもたちの学びや高齢者の生活を支援する活動。地震や洪水などの自然災害からの復興に協力する被災地での活動。町おこしイベント、収穫期に農作業を体験する活動など多様です。その活動範囲はキャンパスに近い地域から国内各地に及ぶものまで幅広いのです。

多くの若者たちの力が必要とされていることがわかるでしょう。あなたが協力できることは学力、アイデア、もしくは体力かもしれません。ほかの人より優れた特技がなくても、あなたの存在自体が人々や社会を支える大きなエネルギーになるということに気づいてほしいと思います。

日本はいま人口減少、少子高齢化といった構造的な課題に直面しています。多くのボランティア活動がこうした現代の課題となんらかの関係があるはずです。参加して汗を流してみれば、新しい発見や学ぶこともあるはずです。またとない課外活動になるでしょう。

## 学外と交流、視野広げる

キャンパスの外で活動することの魅力の一つは世代や立場を超えて会話ができることです。

たとえば、交流する人々には子どもたちから高齢者までいるでしょう。会社で働いている人もいれば、店を営んでいる人もいます。さまざまな人々の価値観や人生観に触れるチャンスでもあるのです。

大学では気の合う仲間同士や同じ興味を持つ仲間同士との人間関係が中心ではありませんか。先輩や後輩との年齢差もそれほど大きくはありません。キャンパスを離れて活動してみれば、視野を広げ、精神面でも鍛えられるでしょう。

考えても答えが出ないときや、答えがたくさんあって決めきれないような経験をしたことはありませんでしたか。そんなときは体を動かしてみてください。実際、ボランティア活動をした先輩の多くが、「不安もあったけれど参加して良かった」と振り返っています。

誰でも初めて訪れる場所で初めて出会う人々と話をするのは勇気がいるものです。でも、そうした交流のなかで、いままで気づかなかった自らの興味や可能性を知ることもできます。ボランティアは人々を支援するだけでなく、自分の応援にもなるのです。

そして何よりも人と協力しながら活動する楽しさを知るきっかけになると思います。その体験が次へのチャレンジにつながるでしょう。試してみてください。

# 卒業後も学びを忘れず

## 東工大の読書会が50回に

東京工業大学の学生や卒業生と２０２２年秋、「みんなで『本を読む』ってなんだろう」と題するトークイベントを開きました。私も参加したディスカッションの一部を紹介します。これは若者たちと開いてきた読書会が50回を迎えた記念イベントです。若者たちの体験は思い出としてだけでなく、社会と向き合い、人生を考える対話でもありました。

池上　読書会は２０１７年ごろから、月に1回くらいのペースで開かれました。東工大生から「読書会を開いてくれませんか」という相談を受けたことがきっかけです。参加したいという有志の輪は広がり、現在に至っています。

振り返れば私にも思うことがあります。大学を卒業後、記者になってから「もっと学んでおけばよかった」と痛感することが何度もありました。自らの人生を踏まえて、「社会に出てからこそ、学び続けることが大切」という気持ちを伝えたかったのです。

読書会で紹介した本の数々は、その後、ベストセラーになった作品がかなりあります。トークイベントでは、参加者から思い出の1冊が披露されました。読者のみなさんも手にしたことがあるかもしれません。

Aさん「私は『FACTFULNESS』（ハンス・ロスリングほか著、上杉周作、関美和訳、日経BP）を選びました。この本はファクトの使い方に特化した解説をしていて、私たちが意識している世界についてのさまざまな誤解に気づくことができます。東工大生は科学技術の教育を受けてきたという共通点があります。社会に出て、専門領域の知見をいかすには、実際の社会の課題や事実にしっかり目を向けながら、自分自身の能力を発揮することが大事だと考えています」

東工大での読書会開催は50回を超える。写真は読書会メンバーと池上さんのイベントの様子（写真：BSテレ東提供）

Bさん　「紹介したいのは『科学革命の構造』（トーマス・クーン著、中山茂訳、みすず書房）です。科学におけるパラダイムシフトについて、科学者やコミュニティーに対して問題提起しているところが面白いと思いました。学会にはさまざまな研究をしている人々がいます。科学者のコミュニティーはどういう理論を共有した人間の団体なのか、科学者に注目すると意外によくわかります。自分の研究でも面白いと思えました」

池上　事実や科学をテーマにした本に関心を寄せたのは、東工大の学生や卒業生ならではの視点です。その一方で、専攻分野とは直接関係のない歴史に興味を持った若者たちもいました。

Cさん　「『世界史のなかの昭和史』（半藤一利著、平凡社ライブラリー）が記憶に残っています。第2次世界大戦のころ、スターリンやヒトラーが権力を握った経緯や、世界から見て日本はどうだったのかを知ることができます。日本のリーダーの素質やどんな失敗があったのだろうと話が膨らみました。私たちの問題として捉えることができたと感じています」

池上　半藤さんは読書会にも参加され、学生時代の思い出も披露していただきました。

　新型コロナウイルス禍で読書会がオンラインになりましたが、オンラインだからこそ地方在住の卒業生や海外留学組が参加できるメリットもありました。学びたい、発見したいという気持ちが読書会をつないできたのでしょう。

# 人との対話から新たな気づきを得る

## 仕事はお金のため？　自分のため？

学生は日ごろ、横書きの科学論文を読むことが多いのでしょう。この読書会では縦書きで書かれた現代社会についての本を知り、新たな発見をしていました。

池上　イベントで話題にのぼったのが『ブルシット・ジョブ』（デヴィッド・グレーバー著、酒井隆史ほか訳、岩波書店）です。副題は「クソどうでもいい仕事の理論」です。

世の中には、それは本当に必要なのか、そんなに高給である必要があるのかと考えさせられるような仕事があります。自分の仕事は世のためになっているだろうかと考えさせてくれました。

Dさん　「私は社会人1年目です。海外の著者が書いた本、昔に書かれた本は、私たちに関係のないように思われるかもしれません。でも、組織や生きることを考えるきっかけになります。昨年、就職活動中で忙しかったのですが、仕事の意味やあり方を考える1冊になりました」

Eさん「私は入社5年目で、本の言葉は胸に刺さりました。著者が5つの仕事の分類を示していますが、私自身にも思い当たることがありました。でも、発想を変えてみれば、自分なりに意味のある大事な仕事に変えることもできるのではないかと感じました」

池上　現代社会に深く切り込んだ本も話題になりました。

まず『ＡＮＴＨＲＯ　ＶＩＳＩＯＮ』（ジリアン・テット著、土方奈美訳、日本経済新聞出版）です。アンソロ・ビジョン（人類学的視野）を取り入れ、経済分析や企業文化の課題を考察しています。取材力や分析力がすごいですね。

Eさん「この本に感銘を受けました。人類学の知見をもとに問題提起しています。特にソーシャルメディア上での人々の発言やそのつながり、評価などを新たな価値として捉え、活用して成長する企業がある。国内総生産（ＧＤＰ）だけでは国の経済規模は測れないというのも間違いではないと感じました」

池上　もう1冊は個人情報の驚くべき活用があることを内部告発した『マインドハッキング』（クリストファー・ワイリー著、牧野洋訳、新潮社）です。

米国でトランプ大統領が誕生した際、ソーシャルメディアの情報から個人の思想などを読み取り、支持につながるように効果的に宣伝を送ったというのです。本人の知らないところで心が乗っ取られてしまうのです。心理学者も動員して政治を動かそうという衝撃的な内容でした。読書会参加者も脅威を感じていました。

Fさん　「ソーシャルメディアの膨大な個人情報を使って、非常に細分化された政治的マーケティングに活用していたのです。この本を読んだ後、米連邦議会議事堂の襲撃事件がありました」

池上　イベントでは『愛するということ』（エーリッヒ・フロム著、鈴木晶訳、紀伊國屋書店）も話題になりました。これも長年読み継がれてきた名著でしょう。

若者たちが自らの体験をもとに「愛」について考えたり、人生を思い描いたりする貴重な機会になったようです。東工大生には少し苦手な分野だったかもしれませんが。

これからもジェンダーや宗教といった新しいテーマを読書会で取り上げ、視野を広げたいと考えています。読者のみなさんもチャレンジしてはいかがでしょう。仲間の一言に新たな気づきがありますよ。

# 大学4年生に対して思うこと

## 社会人になると、もっと学べばよかったと思う

毎年10月を迎えると、来春卒業予定の大学4年生は企業の内定式が始まるころでしょうか。東工大の大学院入試の合格発表も終わったばかりです。それぞれの学生諸君は一息ついているころかもしれませんね。残り5～6カ月となった学生生活の過ごし方を、改めて見つめ直してみましょう。

私たちはまさに予期せぬ危機の時代を生きているのです。教室で学び、キャンパスで活動する普通の生活を送れなかったこともあるでしょう。「こんなはずでは」と、孤独や不安を覚えたこともあるかもしれません。

そうした状況の下でも、あなたはオンラインで学んだり、活動をしたりしてきたはずです。

一人ひとりが創意工夫をしながら、先輩と後輩、仲間とのつながりを大事にしてきたので

しょう。そんな学生たちの体験談を聞くとき、私は勇気づけられます。
目の前の苦難を乗り越えようとするたくましさこそ、若者ならではの強さです。視点を変えればコロナ禍によって鍛えられたともいえるでしょう。そのチャレンジが未来を切り開いていく力になります。決して無駄な時間ではなかったのです。

これから秋が深まり、カレンダーは一日ずつ、卒業式へと近づいていきます。卒業前に4年生に思い出を尋ねると、異口同音に自由に過ごせる学生時代を懐かしそうに振り返っていたことが印象的でした。あなたも残された時間を大事に過ごしてください。

たとえば卒業論文には時間をかけて、納得がいくまで取り組んでみること。大学4年間で学び、つかみ取った成果の集大成です。自らの視点や分析でまとめ上げてください。教授の「評価」を意識し過ぎていたのでは、自分らしさを表現できないでしょう。

また、サークルなど団体活動に参加していたのなら、ぜひ、後輩との対話の時間を大事にしてください。成功したこと、失敗したことも含めて体験を伝えましょう。とりわけ就活体験は後輩が先輩にしか聞けないリアルな情報です。

多くの社会人が「学生時代にもっと学んでおけばよかった」と振り返ります。私もそうでした。そんな思いから、卒業後も学び続けてきました。現代は変化が著しく、ビジネスも技術も進化し続けます。大学時代の専攻や働いている業種を問わず、学び続けていかねばなりません。

働き始めると、これまでのように自由な行動は制限されてしまいます。でも、社会で働くために必要なスキルを身につけるチャンスでもあります。ビジネスの手法を身につけるために、情報交換しながら、試行錯誤を重ねていきましょう。生活の糧を得ることの厳しさも学ぶことになるでしょう。

仕事の難しさや人生の課題に直面したときには、コロナ禍の体験を思い出してみてください。きっと心の支えになるはずです。

## 人生設計を描く

### 人生の可能性を信じて

4年生は企業での配属先や人間関係が気になるはずです。「仕事を覚えられるだろうか」「人とうまく付き合えるだろうか」。就職前、先輩たちもみなあなたと同じ気持ちになりました。弱気になる必要はありませんよ。

初めから仕事や人間関係をうまくこなそうと考える必要はありません。職場の先輩たちが迎え入れてくれることでしょう。まずは健康管理に注意しながら、出社して職場で会話することです。

職場の人々はあなたの仕事に臨む姿勢や意欲を見ています。例えば「仕事とどのように向き合おうとしているか」「簡単には答えの出ない課題を考え抜こうとしているか」といった点です。目の前の仕事に真摯に取り組むことが肝心です。

あなたが働くことは会社の売り上げ、あるいはサービスに直結しています。会社の一員として貢献度が問われるのです。つらいときもあるでしょう。そんなときには職場の先輩に正直に相談してみましょう。誰もが通ってきた道です。恐れることはありません。

就職前に卒業論文が一段落したら、就職先に関する記事を集めてみましょう。関連した世の中の動きをつかんでおくと仕事への理解や問題意識が深まるでしょう。経済活動は生き物のように刻一刻と変化していきます。監視し続けることが大事です。

大学の図書館には新聞や雑誌を閲覧できるコーナーがあるでしょう。キャンパスに行くときには新聞や雑誌の記事を読んでみましょう。私個人としては新聞を購読してほしいのですが、情報を整理しながら関連情報を蓄積しておけば、入社後、職場の会議にも参加しやすくなります。

新型コロナウイルスのようなパンデミック（世界的大流行）やロシアのウクライナ侵攻、

パレスチナ危機によって景気はどうなるか。ビジネスパーソンは、日々、関心を持っています。在学中から同じ視点を養っておくことも就職に備えた訓練になるのです。

私が新人だったときに上司から受けたアドバイスがあります。それは、「早く給料1年分を貯めておけ」というものでした。何らかの理由で退職することになっても、とりあえず生活できるようにしておけば、「会社人間」にならずに済むというものでした。

このアドバイスを実行しようとしても、なかなか1年分の貯金ができず、結果として中途退社することはありませんでしたが。それが上司の狙いだったかな。

働き始めるとどうしても仕事中心の生活になります。できる範囲でボランティア活動や趣味の時間をつくり、会社以外の人間関係も大事にしていくとよいでしょう。会社とは異なる角度から人生を考える機会が生まれるはずです。

もちろん人生の価値は人それぞれです。しかし、現代は一握りの資産家が多くの富を保有している現実があります。現代社会は深刻な問題を抱え、「豊かさとは何か」という課題に直面しているのです。

人生１００年時代といわれます。健康で働き続けられれば、知らなかった世界を広げ、友人を増やすことができるでしょう。人生の可能性はあなたの手中にあるのです。

［第5章］

# 学びを活かす

これまで学んできたことを活かし、社会にどう還元していくのか。ただ学ぶだけではなく、その先の行動にどうつなげていくのか。最後は、未来のことについて考えていきましょう。また、私の学び方のノウハウについても公開します。ジャーナリスト生活で得た学びのスタイルが、少しでも参考になれば嬉しいです。

# 「火中の栗を拾った学者」追悼～宇沢弘文氏

## バランスのとれた経済発展を提言

今回は、ノーベル賞の経済学賞に最も近い日本人といわれた、東京大学名誉教授・宇沢弘文氏の足跡をたどります。経済学者としての宇沢氏の功績を挙げるなら、実践を重んじた経済理論と優秀な人材を育てた指導力と言えるでしょう。日本経済の歩みを振り返る上で、宇沢氏の足跡を知っておく意義は大きいと思うのです。

火中の栗を拾うというのは、こういうことを指すのではないか――。

宇沢氏が成田空港問題打開のため、反対派住民と当時の運輸省（現在の国土交通省）との間の話し合いを取り持つ役割を買って出たことを知ったときの、私の率直な感想でした。

羽田空港が手狭になったため、国際線専用の空港を建設することになったものの、最初のボタンの掛け違いから、建設予定地の成田では、反対派と警察による流血の紛争が続いていました。成田空港は滑走路１本で開港し、拡張問題が課題となっていたのです。

これでは成田の将来像も見いだせない。こんな危機意識を持った地元の一部の反対派住民の依頼を受けて、宇沢氏は１９９３年に設立された「成田空港問題円卓会議」のメンバーに就任。国と農家の調停役を引き受けました。

会議は長引きましたが、結局、当時の運輸大臣が反対派住民に謝罪。すべての反対派ではありませんでしたが、一部の反対派が空港反対の旗を降ろし、空港と地域の共生に道筋をつけました。

宇沢氏をはじめ円卓会議のメンバーは、反対派住民と政府の双方から信頼を得られる人

文化功労者で東大名誉教授の宇沢弘文氏（写真：共同通信社）

たちでした。こういう人は、そういるものではありません。

宇沢氏が、そうした信頼を克《か》ち得ていたのは、『自動車の社会的費用』（岩波新書）など一連の著作で、環境と人間のバランスのとれた経済発展のあり方を提言していたからでしょう。

宇沢氏は、もともとは東京大学理学部数学科の出身です。

それが、経済学者の河上肇の『貧乏物語』（岩波文庫）を読み、貧富の差を生み出す社会に対する怒りから、経済学の研究へと転身。当時の東大経済学部はマルクス経済学が主流でしたが、宇沢氏は少数派だった近代経済学の道を進み、その研究が評価されて、米国の大学に招かれます。

米国でも実績を積み、36歳の若さでシカゴ大学の教授に就任します。いかに優秀であったかを示す経歴ですが、ここから宇沢氏の本領発揮です。

## 「社会的共通資本」充実を提言

当時の米国はベトナム戦争の最中。ベトナム戦争を嫌悪した氏は、シカゴ大学で権勢を振るっていた新自由主義のミルトン・フリードマン氏を中心とする陣営の言動にも辟易《へきえき》し、日本への帰国を決意。東京大学に移ります。

ここで研究を続ける傍ら、世に問うたのが『自動車の社会的費用』でした。岩波新書ということもあり、多くの人に平易に理解してもらう語り口は説得力がありました（いまの大学生には岩波新書でもむずかしすぎるとの説もありますが）。

出版されたのは１９７４年。当時の若者（私のことです）にとって、自動車を持つことは憧れのステータスシンボルでした。

自動車産業の発展は、日本経済にとっても大事なことでしたが、それが交通事故や大気汚染などで、多額の社会的費用を生み出すことになるとは、指摘されて初めて気づくこと。まさに目からうろこでした。経済学は、このように活用することが可能だ。経済学部を出たばかりの私には、衝撃的と言っていいほどの知的刺激を与えてくれました。

日本経済新聞２０１４年9月29日付の「経済教室」で、宇沢氏の弟子の一人の岩井克人氏が「日本が曲がりなりにも公害対策の先進国になったのは、この新書によるところが大きいはずです」と書いていますが、まさにそうだと実感します。

宇沢氏は早くから地球温暖化対策の研究にも取り組み、二酸化炭素の排出を減らすために「炭素税」の創設を提言しました。これも現実のものとなっています。

その後、氏は、「社会的共通資本」に関する研究を進めます。資本主義の下で、自然環境や医療、教育、福祉などを「社会的共通資本」と定義し、これらをどう充実させて守っていくか、数々の提言をしていくのです。これぞまさに経済学が果たすべき役割でしょう。

私は大学の学生たちに経済学の講義をする際、「経済学は金儲《もう》けのための学問ではない。限られた資源をどれだけ有効に分配・活用するかを研究する学問だ」と説明しています。

宇沢氏の経済学は、まさにそれでした。そればかりでなく、学者の枠に閉じ籠もることなく社会に出て行き、この社会をより良いものにしようと努力した活動家でもあったのです。

# 豊かな社会へ解決策練る

2023年4月、立命館大学経済学部の新入生に「経済学って、おもしろい」をテーマに話をしました。世の中で起きている現象を経済という視点で捉えてみれば、変化に気づき、学びへの関心を深めることができるでしょう。一緒に考えてみましょう。

## インバウンドに期待

日本を訪れる外国人観光客が大幅に増えています。家族で日本文化を体験したり、和食を味わったりしているニュースが伝わってきます。お金を使ってもらえれば、観光業者や飲食店の収入が増えて経済にはプラスになります。いわゆるインバウンド（訪日外国人）による経済効果です。

これ自体はとても歓迎すべきことです。ただ、外国人観光客が増えている理由は、新型コロナウイルスの感染状況が落ち着いてきたことだけではないでしょう。

日本は長引く景気低迷によって商品やサービスの価格が海外に比べて安くなったと指摘されます。外国人観光客からみて、自国の通貨が円に対して値上がりしていれば、旅行期間中に商品を買ったり、サービスを利用したりするときは安く感じることでしょう。

私はこれとは逆の体験をしました。２０２２年の秋、米国の中間選挙の取材でニューヨークに滞在したときです。飲食店で食べた豚骨ラーメンが16ドル、鉄鍋ギョーザが12ドル、ほか税金やチップを払うと会計は合計36ドル。１ドルを約１５０円で交換していたので日本円に換算するとなんと約５４００円。びっくりです。

日本で同じメニューを注文してもそんな金額にはならないはず。要因はいくつか考えられます。米国では日本より早く経済活動が回復し、人件費が高騰。米国のさまざまな商品がインフレによって値上がり。為替水準が円安・ドル高に大幅に振れたこと。それを考えれば、日本ではあらゆるものが安く感じられます。

特に２０２２年から進んだ円安・ドル高の背景には、米国のインフレ退治を狙いにした相次ぐ利上げがありました。これによって日米の金利差が広がりました。その結果、円を売ってドルが買われ、円安が進んだのです。

## 経済は刻々と変化する

若者たちに知ってほしいのは、経済の活動は日々刻々と変化していくということです。たとえば私が学生だったころ、円の対ドルレートは３６０円でした。そこから見ればずいぶん円高水準ですが、政策や景気によって円高にも円安にも振れるのです。消費したり、投資したりという営みには、人間の欲や動機がかかわります。まさに経済は生きているといえるでしょう。

私なりに経済学の役割をたとえるなら、限られた資源を最適に配分する方法を考える学問だと思います。たとえばエネルギー、食料、鉱物資源、そして人材もその一つでしょう。日本の人口が減っているのとは対照的に、世界の人口は80億人を超えて１００億人へと増える見通しです。

世界は地球環境、ウクライナ戦争、インフレといった深刻な課題に直面しています。さまざまな利害が複雑に絡み合うなかで解決策を見つけていかねばなりません。経済学は儲《もう》けるための学問ではないのです。

経済学を学ぶ若者には豊かな社会の実現につながる解決策を考えてほしいと思います。歴史を振り返れば、経済学はこれまでも時代の処方箋としての役割を担ってきました。人工知能（ＡＩ）など先端技術も味方になりうるのです。未来をつくるのは私たち人間なのです。

# 提案力で人々を説得する

## 「人間を知る」姿勢を

「経済学って、おもしろい」をテーマに立命館大学経済学部の新入生に行った講演の続編です。経済学は文系、理系を問わず学生諸君に親しんでほしい学問です。

授業や講演などで、学生たちから「学生時代にはどんなことを身につけておけばよいですか」と質問されることがあります。あなたの場合はどうでしょう。

身につけたい力を挙げるなら、それは「分析力」「解決力」「提案力」だと考えています。

たとえば社会の課題に直面したとき、「何が問題なのか」を理解するための分析力が欠かせません。続いて、その課題をどう解決すればよいのか、その方法や手段を考え抜くための解決力が求められるでしょう。そして、分析力や解決力に基づいて、周囲の人々を説得する現実的な提案をしていかねばなりません。

この三つの力を鍛え、「人間を知る」という姿勢も大切にしてください。人間の強さや弱さを知り、人への洞察力を育んでいきましょう。それが現実的な解決策を考え、提案をする上で欠かせないポイントでしょう。

　講演後、会場の学生たちと質疑応答をしました。その一部を紹介します。

## 対立後を見据えて

**学生**　日本の国債発行残高が1000兆円を超えたというニュースを見ました。日本の将来をどのように見ていますか。

**池上**　いわゆる国の「借金」問題ですね。これは経済学の世界でも見方が分かれています。現代貨幣理論（MMT）の立場に立てば、独自の通貨を発行している国は問題ないという考え方もできます。日本は借金を上回る豊かな個人金融資産があるので、危機的な状況ではないという見方もあります。

　問題を指摘するとすれば、借金の大きさではなく、借金が増え続けていることでしょう。社会保障費、防衛費は今後も増えていくのでしょう。国の健全な財政問題のあり方を考えると、今後も放置していくわけにはいかないでしょう。

**学生**　米国と中国が対立しています。その狭間《はざま》にいる日本はどのように対応していけばよいでしょうか。

**池上**　まさに日本が抱える大問題ですね。安全保障はもちろん、経済の面でも決定的な対立はできません。台湾との関係を考える上では、日本が重視する「自由と民主主義」の姿勢をどれだけ貫いていけるかでしょう。同時に、中国に対しても台湾に対しても、相手の考えを知った上で、面子《メンツ》をつぶさないようにリスペクトする姿勢が必要です。

　学生諸君に気づいてほしいことがあります。それは、厳しい局面にあるときにこそ、中国語を学んだり、中国の政治経済を研究したりすることが大事なのです。対立後の次の関係を見据えて、準備していくことも必要ではないでしょうか。

**学生**　経済学を学ぶ上で、英語力を高めていくと視野が広がるでしょうか。

**池上**　もちろんその通りです。経済学に限らず、英語ができれば著名な外国研究者の文献を直接読めるだけでなく、海外の学生と話すこともできます。

　人工知能（ＡＩ）を駆使すれば外国語を素早く翻訳できますが、自ら語学を学ぶと、その言語の背景にある文化を理解することにつながります。できれば第2外国語も習得してはどうでしょうか。

学生からの質問について、読者のみなさんはどう考えますか。経済学部以外の学生にも、より良き世界の実現を目指して解決策を考えてほしいと思います。

# 未来社会への夢
# ――ICTを使ったコミュニケーション

## 技術革新の節目は100年前の第1次世界大戦

２０１５年の東工大のシンポジウムで行った「未来社会への夢」と題する講演をもとに、情報通信技術（ＩＣＴ）と現代史の関わり、人々の豊かな未来の実現について考えていきます。

東工大は文部科学省などが推進したセンター・オブ・イノベーション（ＣＯＩ）拠点の一つとして、人々の暮らしを豊かにする新しい技術の実用化を目指してきました。私は専門家ではありませんが、現代史を振り返ると、映像や通信の技術革新が重要な役割を果たしてきたことがわかります。

たとえば、欧州へ流れ込む中東や北アフリカの難民問題。２０１５年は１００万人規模に達しました。こうした人々を助けているのが実はスマートフォン（スマホ）の普及です。先に欧州へ渡った家族や友人との間で電話やメールなどを利用して、「どこに受け入れ施設があるのか」「どのルートを通ればよいのか」といった正確な情報を逐次入手しているのです。

スマホは電池の消耗が激しいといわれますが、移動中の各地のボランティア団体などが食料や水だけでなく、電源も提供しているそうです。スマホが人々の間にこれほど普及していなかったら、「21世紀の民族大移動」と呼ばれる現象を引き起こすことはなかったでしょう。

難民の関連でいえば、シリア内戦のきっかけになった中東民主化運動「アラブの春」にもＩＣＴが役割を果たしています。２０１０年末、チュニジアで抗議の焼身自殺を遂げた一青年の事件を、仲間がＳＮＳを通じて拡散させたことで、独裁政権に不満を抱いていた若者たちを結束させ、民主化運動のうねりを生み出したのです。

音声やデータを瞬時に国境を越えて拡散させてしまうネット技術は、そもそも東西冷戦時代、米国が軍事技術として開発していたものです。冷戦終結後、民間に解放され、ビジネスや個人の通信手段として今も進化を遂げているのです。まさに時代や人々を動かす技術といっていいでしょう。

私が担当している現代史講義の視点で考えると、映像や通信の技術革新が注目された節目となったのは、およそ１００年前の第1次世界大戦に遡ることができます。人々は記録映像を通して、戦争の恐ろしさや戦地での犠牲者や負傷者の悲惨な現実を目の当たりにしました。

さらにベトナム戦争の反戦運動の高揚にも、テレビが戦場のニュースを流し続けたことがきっかけになりました。人々はお茶の間にいながら遠く離れた戦地の実情を知ることができるようになったからです。「悲惨な戦争を繰り返してはいけない」と、停戦のために行動するきっかけになったのです。

冷戦終結の象徴ともいえる１９８９年の「ベルリンの壁崩壊」も、テレビ放送や当時始まった衛星放送が重要な役割を果たしています。東ドイツ国民は、お手製のアンテナで西側諸国が報じるニュースをひそかに見ていました。

当時、「東ドイツ政府が西側諸国への出国管理を緩和」という政府からの重要なニュース発表があったのですが、国民は西側から流れてくるニュースを見るまで信用していなかったという逸話があるほどです。

技術革新によって、人々が身近に映像を見ることができるようになっただけでなく、映像が人々を動かす力になったのが20世紀でした。20世紀がまさに〝映像の世紀〟と呼ばれるようになった所以《ゆえん》です。歴史には「もしもあのとき」という仮定は成立しませんが、技術革新が時代を動かしたといっても過言ではないように思います。

## 「高齢社会」のためのＩＣＴ

これからの私たちの暮らしに共通するキーワードを一つ挙げるとすれば、それは間違いなく「高齢社会」でしょう。誰しもが「老い」を迎え、衰えていくことは避けられないからです。世代や言語の壁を乗り越えて、どうしたら支え合える社会を築くことができるのかという課題です。

そこで東工大では今、人々の暮らしに貢献するＩＣＴの新たな技術革新に挑戦しています。たとえば、介護者と被介護者の関係でいえば、被介護者の「こうしてほしい」という意思を、介護者が理解するためのコミュニケーション技術が大切になってくるのです。うまく話せない被介護者の気持ちを、どうしたら理解できるようになるのか。ＩＣＴによるまさに〝以心伝（電）心〟です。そこが最先端研究の腕の見せどころでしょう。

## 技術開放や情報共有が研究の要諦

そうした研究活動に大切なことは、特定の大学や企業だけで研究成果を抱え込むのではなく、技術を開放し、情報を共有して新しい情報を集積していくこと。そもそもネットが一部企業だけの技術だったら、ここまで進化しなかったでしょう。

もちろん技術を悪用したり、情報を盗んだりといったような不正をはたらく人が出てくるかもしれません。しかし、恐れてはいけないのだと思います。それを防ぎ、安全を保てるようにするための技術を創り出すことができるのも人間の知恵なのです。

私は大学で教えながらも、世界を取材して回っています。現代史の舞台に立ち、「どうして人間はこれほど残酷になれるのか」と心が落ち込むこともあれば、「人間の英知はなんて素晴らしいのだろう」と元気づけられることもあります。そして何よりも人間は夢を描くことができる生き物だということを感じています。その夢の実現に近づくために、勇気を持って、不断の努力を重ねる。そこに突破口があるのではないかと私は考えています。

# AI時代の学びかた

## 社会や経済に大きな影響

人工知能（ＡＩ）という言葉は、日々、新聞やテレビで報じられるキーワードになりました。多くの学生がその響きに未来への期待と不安を感じていることでしょう。そこでＡＩ時代の学び方や働き方について考えます。

ＡＩはいまや主要国の国際会議での議論となるテーマです。経済活動や社会の仕組みに大きな影響を及ぼす力のあることが認識されたからです。人間をも超えるとされる能力の衝撃は、産業革命に匹敵するとも考えられています。

大学でもＡＩに関するルールが課題になっています。学生が対話型の生成ＡＩ「Ｃｈａｔ（チャット）ＧＰＴ」を使って論文やリポートをまとめて提出するようになれば、評価の前提が揺らいでしまいます。急速な技術革新の影響は学びの場にも及んでいます。

学生諸君にすれば、ＡＩの進歩によって「いま学んでいることは無駄にならないか」「将来、多くの職業がなくなるのではないか」と不安になるかもしれません。

こんな声も聞こえてきます。「私たちは大学で学ぶことよりＡＩを使いこなす技術を身につけた方がよいのではないでしょうか」。なるほどと考えさせる問題意識です。

ＡＩの登場によって、大学で学ぶことの意味、人

23年6月、慶應大学でサム・アルトマン氏が学生向けに講演を行い、質疑応答に答えた（写真：共同通信社）

と人が議論しながら考える経験の意味が問われています。ただし、この問いかけに対する答えは一つではないでしょう。それはＡＩがこれからも日進月歩で進化し続けるからです。

では、どのように考えたらよいのか。学生たちのＡＩへの関心はとても高く、知識やスキルをどんどん吸収していくはずです。実際、23年に行われたチャットＧＰＴを公開した米オープンＡＩのサム・アルトマン最高経営責任者（ＣＥＯ）の講演会には多くの若者が参加しています。

## 体験して不安を減らす

使い方を考え、リテラシーを高めていく方が、学びから得られる効果も大きいのではないでしょうか。

私はＡＩをネガティブに捉える必要はないと考えています。ＡＩの技術革新そのものを教材にしながら、利便性や問題点を具体的に体験していくのです。その方がＡＩに対する不安を減らせるように思います。

その際に大事にしてほしいことがあります。ＡＩが示す「解答」を鵜呑みにはしないということです。利用する側もＡＩが導き出した解答が信頼できるものなのかどうか、情報そのものを吟味する力が欠かせなくなってきます。

　また、ＡＩが作成した文章や描いた画像のコンテンツの取り扱いにも配慮が必要です。影響は小説、漫画、映画など幅広い分野に及びます。著作権はビジネスや雇用にかかわる問題です。まったく新しいルールが求められるはずです。

　ＡＩは文系、理系の枠を超えて、ＩＴリテラシー、知的財産などへの理解を深めていかねばならない問題でもあります。学生には利便性を享受するだけでなく、政治、経済、社会、文化といった多角的な視点で捉えてほしいと思います。

　大学での授業やゼミでの学びは決して無駄にはなりません。学ぶ力を鍛えるためにＡＩの経験を積み重ねていけばよいのです。ＡＩとの共存という新しい時代を迎えても、学ぶ力を育む場としての大学の役割は変わりません。

　ＡＩとの共存の仕方を判断するのは私たち人間の役割なのです。そのことを忘れずにいてください。

# ＡＩ時代の仕事の未来、想像力で描く

## 技術革新が繰り返された

ＡＩが話題になると引き合いに出されるのが、18世紀ごろから英国で広がった第一次産業革命です。繊維工業などで機械化や自動化の仕組みが開発されると、労働者の働き方を大きく変えました。

20世紀にも人々の暮らしに「革命」がありました。たとえば人々の交通手段の主役は馬車から自動車に、主力のエネルギーは石炭から石油へと移りました。

戦後の日本にも技術革新を乗り越えてきた歩みがあります。主力産業は繊維、鉄鋼、電機、自動車、ロボットなどの機械、ＩＴ（情報技術）などが次々に育ちました。資源のない国は輸出に頼らざるを得ません。国際競争力を高めていくには常に技術との戦いがあります。

いつの時代でも既存の産業で働いてきた人々は、新たな技術を習得し、変化に対応できなければ、失業のリスクに直面したことでしょう。それはＡＩによる影響に限ったことではありません。

就職活動でも、長い期間でみれば産業には盛衰があることを意識することです。そこで知っておいてほしいことがあります。それは技術革新によって既存の産業が衰えたとしても、一方で新しい産業が育ち、雇用が生まれるという視点です。

２０２３年７月７日付日本経済新聞朝刊に参考になる特集記事「ＡＩは脅威か？　迫る労働革命」がありましたので一部を紹介します。

## 新たな雇用が生まれる

「米経済学者デビッド・オーター氏の研究などによると、現在の労働者の60％が１９４０年には存在しなかった職業に就いている。過去80年間の雇用増加の85％以上が技術による新しい職種の創出によって説明できるという」

この特集記事はＡＩをキーワードに影響を分析し、著名学者のインタビューも紹介しています。わかりやすく言えば、消える仕事もあれば、生まれる仕事もあるということなのです。

ＡＩの進化とともに、雇用への影響が分析されるはずです。大事なことはその結果に一喜一憂するのではなく、新しい情報を収集しながら、自分の頭で変化の行方を読み解く習慣をつけていくことではないでしょうか。

講演会などで子どもたちから「どんな未来がくるか」という質問が寄せられます。でも、昭和の時代を生きてきた私が未来を考えるのは限界があります。安易に昭和世代にアドバイスを求めるのではなく、自ら未来を想像するのです。見通せない未来を考えることは不安な気持ちにもなるでしょうが、誰も正解を持っていないのですから、あなたが答えを作り出せばいいのです。

こんなときは歴史にヒントを求めることも可能でしょう。過去に何が起きたのかを探り、想像力を膨らませて自分なりのシナリオやイメージを描いてみましょう。技術革新の速度はかつてないほど速くなっています。働く人々が新しい技術を学び続け、スキルを磨いていく時代になるのです。

就活中の学生や、これからのキャリアを考えている人も、弱気になる必要はありません。ＡＩ時代の新たな変化はチャンスでもあります。

# AI時代は洞察力が重要となる

## 世界で議論が広がる

東京工業大学の新入生は複数の有識者・専門家の講演を聞いた後、各教室に分かれて小グループをつくり、気づいたことや考えたことを出し合います。頭の中を整理しながら自分の言葉で伝えます。また、自分と異なる相手の思いや価値観を知り、互いに刺激を受ける効果もあるのです。これを「東工大立志プロジェクト」と呼びます。今回はここで23年度の新入生にオンラインで話したことを紹介します。

いま、対話型の生成ＡＩ「チャット（Ｃｈａｔ）ＧＰＴ」を巡り世界で議論が巻き起こっています。ＡＩが質問に答えたり、依頼に沿って文章をつくってくれたりもします。「ＡＩはここまで進化したのか」と驚かされるレベルです。

多くの学生がチャットＧＰＴ関連のニュースを読んだことがあるでしょう。実際に使ったことがある学生も増えています。国会での大臣の答弁に活用すれば、執筆する官僚の残業時間が減る、とその効果に期待が集まったほどです。

そこで、私もチャットＧＰＴを使ってある実験をしてみました。まず、尋ねてみたのは「なぜロシアはウクライナに軍事侵攻したのですか」。すると見事な答えが返ってきました。これまでの専門家の発言やさまざまな解説などの情報をコンパクトにまとめ、答えを返してくれたのです。

続いて、「どうしたら停戦に持ち込めるか」「どうしたら戦争をやめられるか」と質問を投げかけてみました。はかばかしい答えは得られませんでした。残念ながら、これまでの情報をもとに未来への答えを見つけることは、現時点では苦手のようです。つまり、ロシアに軍事侵攻をやめさせるという問いを考えられるのは人間なのです。

## 人間が仕組みをつくる

ＡＩやチャットＧＰＴがどのような問いに対して、どのように答えを示すかという最初の基本的な設定をするのは人間の役割なのです。そして、それが人の考え方や価値観が答えを導き出す仕組みに影響するのです。

恐らく、いま使われている最先端のＡＩの技術水準は数年後にはもっと進化しているでしょう。ＡＩの研究開発に携わっているとすれば、技術開発にも増して、人間に対する深い洞察力が求められてくるのです。「人間とは果たしてどんなものなのか」ということを考え抜かねばなりません。

つまり、それこそがリベラルアーツの学びといえるのです。自らの人生のために良き問いを立て、その答えを求め続ける姿勢は、理工系学生だけでなく文系学生にも大事な経験になります。なかには正解のない問いもあるでしょう。

だからこそ幅広い知識を学び、教養として身につける姿勢が欠かせないのです。

# 考えの異なる人との交流

## 卒業後も学び続ける

東京工業大学の新入生向け「東工大立志プロジェクト」で行われた、リベラルアーツ研究教育院の院長である山崎太郎教授との対談から、人工知能（AI）時代の学びについて考えてみましょう。

山崎　池上先生の知識の源泉はどこにあるのでしょう。

池上　大学卒業後も学び続けてきたことです。入学後は大学紛争で授業がなかった。友人と読書会をして読書の仕方を学んだり、独学の技法を自分で身に付けたりしました。学生時代、十分に学べなかったという思いがありました。それが学び続ける意欲につながったと思います。

山崎　まさに「生涯学習！」。大学4年間で学びは終わるわけではなくて、卒業後の人生の方がずっと長い。好奇心や問題意識を持ち続けることが大事ですね。

池上　私はテレビでニュースを解説しますが、全体を理解して初めてわかりやすい説明ができると思います。常にそうありたいと思って努力しているつもりです。

山崎　「問いを立てることが学びの出発点」と強調されました。先生ご自身にとって出発点の根本的な問いとは何でしょうか。

池上　人間への好奇心です。例えば、記者時代に殺人事件や詐欺事件を取材しました。人間はここまでひどいことができるのかと思う一方、我が身を犠牲にしても人を助ける生き方もある。ますます人間とはどんなものか好奇心が湧きます。

## AIは切実な問題に

山崎　私はドイツ語教員なので、言語とＡＩとのかかわりは切実な問題です。音声も含めた翻訳アプリの進化には目覚ましいものがあ

23年4月、東工大立志プロジェクトで山崎教授と語った（写真：窪徳健作）

るし、異なる言語の人とのコミュニケーションもＡＩで事足りるという時代が来るかもしれない。そのとき、一人の人間があえて他の言語を学習する意味はどこにあるのかと自分に問い続けています。

池上　私は第2外国語のドイツ語を履修して初めて英語の構造がわかりました。外国語を勉強することで日本語との違いが理解できたりする。ただ、ＡＩは微妙なニュアンスを伝える文脈までは理解できていないように思います。

山崎　ネットの検索では自分に都合のいい情報や意見が集まりやすくなる。それとは逆方向の情報がないか目を配ることも大事ですね。

池上　本当に大事です。ネット検索するときは1ページ目、2ページ目だけでなく、もっと後ろのページも注意して見てほしい。批判したり、否定したりする意見があるかもしれない。異なる意見にも気づいてほしい。

山崎　人との交流も同じで、自分と同じ意見の人だけではなく、正反対の人の意見にも耳を傾けることが大事だと感じます。

池上　最近、多様性に関する論文の本を読んでいます。米国の大規模総合大学では自分と好みや関心が合う人だけでグループをつくり、結果的に他の人との接触がなくなる。単科大学だと学生の数が少ないので、いろいろな人と知り合うことができて多様性が得られるという非常に逆説的な研究があるのです。

山崎　多様性は現代の重要なテーマです。似た者同士の閉じた輪ではなく、専門・年齢・意見の違うさまざまな人たちとの交流で世界が広がります。

池上　ぜひ、そういう大学生活を謳歌してほしいです。

# 未知の探究　失敗から学ぶ勇気を持って

## 人類の進化に興味を抱く

2022年のノーベル生理学・医学賞を受賞したスウェーデン出身のスバンテ・ペーボ博士に2023年1月末、東京都内でインタビューしました。長年の研究でつかんだことや未知の領域に挑むうえで大切なことなどを聞きました。

ペーボ博士はドイツのマックス・プランク進化人類学研究所の所長で、沖縄科学技術大学院大学（OIST）の非常勤教授も務めています。

ノーベル賞の授賞理由は「絶滅した人類のゲノムと人類の進化に関する発見」です。3万

～4万年前に絶滅したネアンデルタール人のＤＮＡを分析して遺伝情報を解読し、現生人類（ホモ・サピエンス）にもその一部が受け継がれていることを突き止めたのです。

池上　なぜ、ネアンデルタール人のＤＮＡを研究したのでしょうか。

ペーボ　私は人類の進化に興味がありました。ネアンデルタール人は現生人類と遺伝的に最も近く、現生人類の特徴を比較できると考えたのです。現生人類はアフリカ大陸で生まれて各地に移動するなかで、ネアンデルタール人との交配があったと分析しています。

池上　研究は新型コロナウイルスの分析にもつながったそうですね。

ペーボ　新型コロナの重症化リスク要因には高齢者、既往症、男性などがわかっていました。でも、それだけでは説明がつきませんでした。ネアンデルタール人に由来する遺伝子があると重症化して亡くなるなどのリスクが2倍になることがわかりました。その遺伝子は欧州の人の約16％、南アジアの特にインドやスリランカでは最大50％の人が持っています。一方、日本や中国の人々にはほとんどないことが興味深いです。

池上　ネアンデルタール人を研究するうえでさまざまな課題があり、実験環境にも細心の注意を払ったことを知りました。

ペーボ　何万年も前のＤＮＡはとても小さな断片です。分析にはＤＮＡを増幅するＰＣＲ法を用いました。小さなほこり一つや人の皮膚片が入っただけでも実験は失敗します。実験ではでは空気も管理する必要があり、クリーンルームを導入したのです。

## アイデアを出し合う

池上　これまで失敗や挫折もあったと思います。どのように乗り越えたのですか。間違いを認めることは勇気がいることではないですか。

ペーボ　自分で間違いを見つけ、修正することです。その時点の知識でベストを尽くすことが科学の世界では大事なことです。たとえばマンモスの研究でも、ほぼすべての骨から人のＤＮＡが見つかっています。博物館の学芸員、研究者などのＤＮＡでしょう。そのと

ペーボ博士と人類の進化をめぐり対話した（写真：テレビ東京提供）

きはわからなくても、「これは正しくないのではないか」と疑問を持つことが大事なのです。成功も失敗も両方から学ぶべきです。それが進歩に貢献してくれると思います。

池上　研究員たちの意見を聞き、民主的なプロジェクト運営を大事にされています。自分の考えと異なるようなとき、研究の成果を出さないといけないという思いとの葛藤はありませんか。

ペーボ　私は他の人よりも優れたアイデアを持っているわけではありません。研究に参加する人々が恐怖感を持たずにアイデアを出したり、意見したりできることが大事なのです。まず、私のアイデアを見せることがリーダーの役割だと考えています。

# 基礎科学が技術革新を育む

## 良い環境を求めた

ペーボ博士が教授を務める沖縄科学技術大学院大学（ＯＩＳＴ）は、科学技術の知の拠点として、沖縄県恩納村に２０１１年に設立されました。教員の約6割、学生の約8割を外国人が占めます（23年1月時点）。科学論文は世界から高い評価があります。文部科学省ではなく内閣府が所管し、運営費の多くが沖縄振興予算で賄われています。

池上　なぜ沖縄で研究しようと考えたのですか。

ペーボ　ＯＩＳＴはとても若い組織で、ダイナミックで、才能のある科学者を世界中から集めています。そしてインタラクティブ（双方向的）な構成で、グループがともに協力しています。他の分野の研究者とコラボレーションをしながら研究していくにはとても良い環境だと思いました。私が大事だと考える環境の一つは、やる気のある良い同僚に囲まれることです。

池上　日本の場合、大学の研究資金が減ってきている。博士号を取っても研究を続けられない人々がたくさんいるという問題があります。この現状をどのように思いますか。

ペーボ　基礎科学の研究はとても大事だと考えています。基礎科学のためのお金がないということはイノベーションの原材料がないということと同じです。豊かな国が基礎科学に投資をしないことは残念で、視野が狭いといえるのではないでしょうか。

池上　ノーベル賞受賞者を輩出し、世界でもトップレベルといわれてきた日本の科学技術は、最近元気がないように思います。

ペーボ　状況をすべて俯瞰《ふかん》できていませんが、そこまで悲観する必要はないと思います。日本は研究し、科学を行うには今も素晴らしい場所だと思っています。ＯＩＳＴはその例です。

## 自ら意見を持つ

池上　日本で研究をしている若者たちから「どんな研究を続けたらよいのか」などと質問されることが多いです。ペーボ博士ならどのような言葉をかけますか。

ペーボ　一つアドバイスをするとすれば、私のような世代の言うことを聞くのではなく、まず自らの意見を持つことが大事です。自分が興味を持てることを大事にすべきです。その方が楽しいと感じるはずです。

　私は古代エジプトのミイラを研究していました。ところがＤＮＡを取り出して分析する過程で、異なるＤＮＡが混入するという課題に直面しました。それからマンモスの研究に打ち込み、後にネアンデルタール人の研究をしたのです。

池上　これからどのような問題を解き明かしていきたいですか。

ペーボ　現生人類がなぜ他の絶滅した人類と違うのか、何が特別なのかを明らかにしていきたいと考えています。行動に関するもの、脳の機能、脳の発達に関するものに興味があります。私は「現生人類は狂っていた」という言葉を使います。

　行く先に陸があるかわからないのに海を渡ろうと思うのは〝狂気〟でしかありませんが、

私たちにはそれが欠かせないのです。

池上　ペーボ博士が問いを解き明かす歩みはこれからも続きます。

# おわりに

# AI時代の学びにおける姿勢は、「よき問いを立てる」こと

## 学生たちに教えながら、自分が改めて勉強してきた無我夢中の10年間

この10年、私はジャーナリストして活動するかたわら、東京や長野、愛知など複数の大学で教授を務めてきました。今から思えば無我夢中だったという気がします。

大学で教えようという気持ちになったのは、還暦を迎えたときに、自らの来し方を振り返り、「もう人生は一回り終わった」という気持ちになったことが大きいですね。ここまでやってこられたのは、もちろん両親のおかげもあるけれど、日本社会には高等教育があって、それなりに頑張れば大学まで行くことができる。つまり、私を育ててくれたのは子どものころは親だったけれど、その後、社会の中で仕事ができるようになったのは、日本社会が私を育ててくれたからではないか。だったら、どこかで社会に恩返しをしなければいけないと考えるようになったのです。

では、自分に何ができるかというと、技術といえるものも何もない。だけど、これまで蓄積してきた経験や知識を若い人に伝えていくことはできるのかなと思ったのです。そんなことを考えていたら、東日本大震災が起きた直後に、東京工業大学から「大学で教えてみませんか」というお誘いをいただいたのです。教えながら思ったことや伝えたいことを、日本経済新聞の「大岡山通信」で若者たちへのコラムに書いていこうかなと思ったのですが、まさかこんなに長く書き続けていけるとは思いませんでした。

そのうちに、東工大を65歳で定年退官したら、「特命教授として残ってほしい」と要請されました。他の大学でも教授を兼任することが可能になって、いろいろな大学でも教えるようになったということなのです。東工大生以外のいろいろな学生たちと関わるようになり、学生を見る自分の視野が広がったような気がします。教えることは勉強になる。知識が深まったり、再発見をしたり、学生が「そういう質問をするのかとか、そういう見方をするのか」などと考えました。実は学生たちに教えながら、自分が改めて勉強するという経験をしたのです。

特に東工大生は本当に優れた理系の学生諸君ですから、うっかりしたことを言ったら、「発言が論理的ではないと追及されるのではないか」という緊張感がありました。というのも授業で解説すると、「定義は何ですか」とよく聞かれるからです。議論するときに「そのキーワードを定義してください」「定義のないままアバウトな語りはできません」と指摘するのです。これはすごいなと思いましたね。

その一方でこんなこともありました。現代史を初めて講義して終わったとき、学生がわざわざ私のところに来て、「高校時代、歴史が本当に苦手だった。まったくの暗記科目だと思っていた。こんなに歴史が面白いと初めてわかりました」と言ってくれたのです。本当にうれしかったですよ。

高校までの歴史という科目は、「何年に何がありました」という項目羅列でしょう。結局それを暗記するしかないわけです。そうではなく、「何か出来事が起きたら、その結果こういうことが起き、その結果、さらにこういうことが起きる。つまり、力学における作用・反作用のようなものであると。作用があれば反作用がある」とたとえたのです。こういう言い方をすると、東工大生には響くのですね。東工大生は論理的な因果関係を大切にしますから、きちんと因果関係で歴史を学んでいくと、歴史を面白く、よく理解してもらえる。まさに、歴史を教えるとはそういうことだと思いました。学び続けるうえで、学ぶ側にとっては、知的な刺激を感じられるかどうかがとても大事なのです。

## 「すべてを疑うことが大事だ」と伝えたら、授業そのものを最初から疑う学生も

２０１２年に東工大に着任した当時は、教養教育を担う「リベラルアーツセンター」ができたばかりでした。いろいろなイベントに積極的に参加してくれる学生諸君がいましたね。学生から「読書会をやりた

い」という人たちが出てきて、現役生たちと読書会を開きました。これは、私自身が学生時代に仲間と取り組んだことでした。そうしたら、読書会を経験した学生たちが、「卒業してからも読書会を続けたいです」と言ってくれるようになったのです。

今も読書会は毎月、続いています。新型コロナウイルス禍の前は、日曜日に大岡山キャンパスに集まっていました。その後、コロナ禍が始まった後はオンラインに切り替えました。そうすると、アメリカにインターンで行ったり、海外に留学したりしている学生も読書会に参加できるわけです。そういう形で取り組みながら今もずっと続いている。これもとても得がたい経験です。東工大生が絶対読まないような、人文社会とか社会科学の本を選んでいます。私も忙しいので、自転車操業のように読まざるを得なくなっていますが、これも私にとってひとつの学びとなっています。

コラムで執筆してきた話題はどれも記憶に残る思い出です。なかでも、ブータンの豊かさを測る指標として用いられているＧＮＨ（グロス・ナショナル・ハピネス。国民総幸福量）の話題が印象深かったですね。この話題を東工大の試験で取り上げたことがあります。「もし日本で幸せを測るアンケート項目を考えるとすれば、どんなことがあるのか答えなさい」と出題しました。本当は、「幸せなんて主観的なものを客観的なデータで答えられるわけがない」という私の問いかけ自体を否定する、批判する答えがあればうれしいなと思っていたら、大半の学生が真面目に、ひたすらその前提を疑わずに一生懸命考えて解答したのです。それでも２人だけ、「そもそもこんな出題は成り立たないけれど、池上教授が言うから仕方ないので考える」という答えがあったので、その２人にはいい点をあげました。

あるいは２０１６年、東工大に「リベラルアーツ研究教育院」という教養教育のための本格的な組織ができた時です。新入生に学びや研究に対する志を問う「東工大立志プロジェクト」が始まって、こんなことがありました。新入生たちへの講演で「すべてを疑うことが大事だ」という言い方をしたら、その後、リベラルアーツ研究教育院の先生たちから苦情が出ました。「学生たちが最初から全部疑ってかかって、『それはどういうことですか』と食ってかかるので往生している。だから池上先生の言い方をもう少し何とかしてほしい」と。

その翌年、学生たちには「君たちの先輩に『すべてを疑え』と言ったら、私の言葉をみんなが信じて、私の言葉自体を疑わずに授業で応用した学生諸君がいる」と伝えたのです。だから、「すべてを疑えということ自体が成り立つかどうかを考えてほしい」と。そもそも典型的な論理矛盾なのですよ。学生諸君には、「すべてを疑え」といったその言葉自体をそのまま信じてもよいものかどうか、考えてほしいですね。

## 東工大立志プロジェクトで単位を取るのは厳しいとわかっていても、学びたいという人が増えた

2012年に東工大で教授生活をスタートさせたころ、「リベラルアーツ」というキーワードが全国でブームのように話題になりました。その後、リベラルアーツが大切だという問題意識がどんどん広がっていきました。

たとえば京都工芸繊維大学や京都府立大学など、それぞれ小規模な大学だと、リベラルアーツを教える先生が非常に少ない。だから「大学で共通のリベラルアーツをやりたい、そのためにどうしたらいいでしょうか」と、わざわざ東工大に視察に来た先生方がいました。

２０２４年度に東京医科歯科大学と東工大が統合することになった要因の一つには、東工大のリベラルアーツ教育があったようです。東京医科歯科大は医学部と歯学部のほとんど単科大学のようなところだから、一般教養を教える先生が少ないのです。東工大のリベラルアーツ研究教育院はおよそ40人の先生方がいますから、その人たちの授業を受けることができるのはすごく魅力的だったそうです。

あるいは順天堂大学の国際教養学部もリベラルアーツを大事にしているわけですね。国際人として巣立ってほしいけど、そのためにはリベラルアーツが必要なのだと。桜美林大学にはリベラルアーツ学群があります。結果的に全国の大学に国際教養学部のような名称の学部が増えてきたように思います。

東工大立志プロジェクトの狙いはまさに志を立てることにあります。

新入生は入学直後、最初に私の話を聞き、その後、水俣病の患者の救済活動とか、お寺のお坊さんの話だとか、社会でいろいろな取り組みをしている人たちの話を聞く体験をするのです。その都度、４～５人ずつのグループに分かれ、聞いた話をテーマに議論します。そして全員が入学後2年間で学びへの志をまとめる教養卒論を執筆します。いまでは見事な卒論の発表会も行われています。

つまり、東工大生は入学すると「君たちは何のために学ぶのか」「何のために君は研究者や技術者になりたいのか」と、その再確認を求められる。自分は数学と物理や化学ができるけど、社会や国語は苦手だからと、何となく消去法で東工大に入っていた学生もいるだろうけれど、これから何をやるのかを改めて考えてもらうわけです。

その成果を一つ挙げると、学生の学習意欲、熱意が高まってきたことが言えるのではないでしょうか。私の講義では教え始めた最初のころは2割ぐらいの学生が単位を落としました。受講生は抽選で２００人ぐらいに絞っていたのが、簡単に単位が取れないので履修希望者が減り、最終的に50人になりました。教務課から「もうそんなに大きな教室はいらないでしょう」と、小さな教室に変えられたこともありました。

ところが東工大立志プロジェクトが始まると、2年生になったときに私の講義への履修登録が急激に増えました。単位を取るのは厳しいとわかっていても、学びたいという人がいたり、本を読んだりする学生が増えたりしてきた。教室でも授業前に専門分野ではない小説などいろいろな分野の本を読む学生がいるのです。生協の売店でも、社会科学系の本が以前の何倍も売れるようなこともあったそうです。視野が広がり、明らかに学習意欲が高まったところはあるように思います。

いま振り返れば、東工大では、桑子敏雄先生、上田紀行先生が教養教育改革のためにリベラルアーツセンターを立ち上げたときから、リベラルアーツ教育の役割や大切さについて語っておられた。私は後から東工大に加わりましたが、お二人の努力が実ったのではないかと思います。

## 「私たちはどう生きればいいのか」という問いを立てること。これこそが人間の人間たるゆえん

いまや人工知能（ＡＩ）時代と呼ばれます。学生たちはＡＩの能力

が人間よりもどんどん先行していく可能性ばかりではなく、恐れを感じながら生きていくことになるのでしょう。つまり、ＡＩの方が人間よりもはるかに優れた答えを出せる。私たちがいろいろ考えるよりは、対話型生成ＡＩ「Ｃｈａｔ（チャット）ＧＰＴ」に聞けば、見事な答えが出てくるわけです。

学ぶことの意味が問われる時代になったということです。若者たちは新しい発見をして、ひとつ答えが見つかると、また次の新たな疑問なり、悩みが出てくるかもしれません。だからこそ自らの問いや疑問への答えを求めて学び続ける、考え続けることが必要なのです。ＡＩ時代に必要な学びにおいて大事な姿勢は、やはり「よき問いを立てる」ことだと思います。大学のリベラルアーツ教育のあり方も改めて問われることになるのでしょう。

東工大生の場合は小学生のころから忖度力を身につけている。先生が、「さあ、皆さん、これの答えは何かな、この問題を解いてごらんなさい」と言うと、瞬時に先生が求めている答えを推測し、いち早くそれを答えると、先生が「よくできました」と喜ぶ。この子は頭がいい、成績がいいと褒められて、そこで自信がついて、本当に成績のいい子になり、最終的に東京大学や東工大に入るようになる。それは「求められている答えは何だろうか」と忖度する力を鍛えてきた成果でもあるのです。共通テストでも、数学の問題でも国語問題でも、問題の作成者はどのような答えを求めているのかを推測するわけでしょう。「こういうことを求めているのかな」ということを書けば、いい点が取れるわけです。しかし、これからは答えを出すという点においてはＡＩにかなわない。

　これに対して、「そもそも問いを立てる、ただし、今、何が問題なのか」ということはＡＩには立てられない。ＡＩは、これまでの既存の世界中のさまざまなデータを検索し、調べて、それを集大成して出す。だから、新たな問いはそこにはない。「今、さまざまな問題に対してどうすればいいのか」「私たちはどう生きればいいのか」という問いを立てること。これこそが人間の人間たるゆえんなのかなと思います。自ら問いを立てて、答えを考え抜く力を鍛えれば、生涯にわたって、課題に直面した時に、「どう生きていけばいいのか」とか、「どう働けばいいのか」ということを考える力になっていくと思います。

## もう一度、ゼロから学び直しをしながら、人々に伝えていきたい

私自身も大学を出てから努力してきたつもりです。気が付いたら、記者になって半世紀が経っていたのです。ＮＨＫで「週刊こどもニュース」を担当しているとき、今の若い人たちが現代史をまったく知らないということに気がつきました。「ここにニーズがあるのではないか」「現代史を語ったり、本にしたりしていくと、みんなが聞いてくれたり、読んでくれたりするのではないか」と思って試行錯誤してきたわけです。

最近、改めて現代史の原点にあたって、自分で本を書いていきたいと考えています。これからはそういう仕事を改めてやりたいなと考えています。第2、第3の人生というのか、もう一度、ゼロから学び直しをしながら、原稿を書き、人々に伝えていきたいと思います。改めて学び直すと、こんなことがあったと知らなかったという驚きがありますよね。きっと他の人たちもそうだろう。だから、自分の驚きを他の人に伝えると、他の人も「へえ」と言ってくれるだろう。結局はその発見につな

がっていくということではないでしょうか。

これから大学で学ぶ若者たち、社会人になって学び直すことを考え始めている若者たちには、ぜひ好奇心を持ち続けてほしいですね。年を取ってくると、世の中のいろいろなことに対する好奇心が衰えてくるものです。何かあっても、「ああ、そう」の一言で終わったり、「そんなこともあるよね」という感想だけで終わったりしてしまう。「ちょっと待てよ」みたいな疑問を持って考え直してみる。わからなければ調べてみる。そういうことの積み重ねが若さを保つ秘訣ではないかと思います。

［初出一覧］

※記載のないものは、全て日経電子版

## 序章　社会に出る君へ

■就活生へ、人生の夢は初心が支える（2023年10月23日）
■激動期の新社会人、学びを自信に（2023年4月3日）
■社会に出る大学4年生へ　人生の夢　初心が支える（2023年10月23日 日本経済新聞朝刊）
■新社会人へのメッセージ　激動期、学びを自信に　苦しみの先に未来がある（2023年4月3日　日本経済新聞朝刊）
■荒波は好機、考えで変わる、人々の行動様式に着目を（2022年3月28日 日本経済新聞朝刊）
■「目」でわかる相手の人柄、増えた時間、今こそ勉強（2021年3月29日 日本経済新聞朝刊）

## 第1章「学びの本質」とはなにか

■「忖度」はやめ自分で考え抜こう　大学で学び始める君たちへ（上）（2017年4月17日）
■対話で視野広げて　「いい質問」をする会（下）（2021年8月30日）
■令和に生きる（上）「自らに問い　答え求めて」（2019年5月6日）
■長い人生に備える力に　学び直しが育む（下）（2019年6月24日）
■知への好奇心は若さの源　学び直しが育む（上）（2019年6月17日）
■情報読み解く力を磨こう（2018年5月28日）
■「知らない」に気づくため　学び続ける意味（上）（2018年7月23日）
■世の役に立つ「財産」築く　学び続ける意味（下）（2018年7月30日）
■令和に生きる（下）「人間としての判断を」（2019年5月13日）
■統計データの大切さを考える（2019年2月25日）
■新入生諸君、疑うことから始めよう（2018年4月30日）
■大学授業はコマ数減らし予習重視に（2023年9月25日）
■読書で広げる新たな世界（2022年4月25日）
■「私はこう考える」　読書で視野を広げる（上）（2021年5月3日）
■私たちの未来を考える　学ぶ力を鍛える（下）（2022年6月20日）

## 第2章　学びをもとに、伝える力をつける

■「知らない」を前提に　話す力を磨く（上）（2019年2月4日）
■問題意識を持って　話す力を磨く（下）（2019年2月11日）
■「いつかなし遂げてやる」という気概を（2019年11月18日）
■日本の文化や歴史　外国人に話せますか（2020年5月18日）
■「伝える力」　働くために大切なこと（上）（2020年9月28日）
■「伝えたいことを整理しよう」　書く力を鍛える（2021年4月5日）
■言葉の大事さを知ってほしい（2021年11月8日）
■戦後70年を考える（2015年4月27日）
■海外では相手を尊重し、話を聞こう（2023年10月9日）

## 第３章　歴史から何を学ぶのか
### グローバルな教養を身につけるために

■パレスチナ問題の構図を歴史に学ぶ（２０２３年10月16日）
■世界を知る（上）歴史動かす権力者の思惑（２０２３年３月20日）
■世界を知る（下）問題意識が学びの起点に（２０２３年３月27日）
■歴史から何を学ぶか（２０１８年４月16日）
■世界地図から見える国際情勢（２０１９年９月２日）
■相互理解深める知恵を〜違いを乗り越える（上）（２０２０年１月６日）
■人との結びつきを大切に　違いを乗り越える（中）（２０２０年１月13日）
■自らの視点を養って　違いを乗り越える（下）（２０２０年１月20日）
■50年前、学生たちの反乱はなぜ起きたのか（２０１８年10月８日）
■若者の危機感を受け止められるか（２０１９年10月14日）
■米論争に揺れる大学教育の多様性（２０２３年７月31日）
■一票は民主主義の基盤　参議院選挙を振り返る（２０２２年７月18日）
■後世へつなぐ３・11の記憶（２０１９年３月11日）
■歴史の記憶　風化への憂い（２０１８年８月６日）
■海外では相手を尊重し、話を聞こう（２０２３年10月９日）
■寛容性ある社会を　「いい質問」をする会（中）（２０２１年８月23日）
■インフレを考える　経済の今を知る教材に（２０２２年10月24日）

## 第４章　学びを実践する
### 社会の中で働き・生きていくこと

■「ボコ・ハラム」を考える（２０１４年６月２日）
■新人のころ、先輩との雑談が助け舟（２０２３年４月24日）
■信頼は人生の土台（２０１８年６月４日）
■経験は必ず役に立つ　働く上で大切なこと（下）（２０１９年６月３日）
■仕事も人生も無我夢中（２０２３年７月17日）
■社会での居場所を探そう（２０２３年７月24日）
■ボランティア活動のススメ（２０２３年11月20日）
■人生を考える（上）卒業後も学びを忘れず（２０２２年12月19日）
■人生を考える（下）新たな気づき　対話で得る（２０２２年12月26日）
■４年生に思うこと（上）卒論執筆や対話を大事に（２０２２年10月10日）
■４年生に思うこと（下）人生設計も描いてみよう（２０２２年10月17日）

## 第５章　学びを活かす

■「火中の栗を拾った活動家」追悼〜宇沢弘文氏（２０１４年10月６日）
■豊かな社会へ解決策練る（２０２３年６月19日）
■提案力で人々を説得する（２０２３年６月26日）
■「未来社会への夢〜ＩＣＴを使ったコミュニケーション」（２０１５年11月16日）
■ＡＩ時代　技術の進歩学ぶ教材に（２０２３年９月４日）
■ＡＩ時代の仕事の未来、想像力で描く（２０２３年９月18日）
■ＡＩ時代　人の洞察重要（２０２３年５月８日）
■考えの異なる人と交流（２０２３年５月22日）
■未知の探究（上）失敗から学ぶ勇気持とう（２０２３年２月20日）
■未知の探究（下）基礎科学が技術革新育む（２０２３年２月27日）

本書は、日本経済新聞および日経電子版
「池上彰の大岡山通信　若者たちへ」
（２０１４年６月２日から２０２４年２月26日掲載分）をもとに、
加筆、再編集したものになります。

**池上 彰**

ジャーナリスト・東京工業大学リベラルアーツ研究教育院特命教授
名城大学教授
長野県生まれ。慶應義塾大学経済学部卒業後、NHK 入局。
社会部記者や科学文化部記者を経て、報道局記者主幹に。1994 年よりNHK「週刊こどもニュース」で、ニュースをわかりやすく解説し、人気を博す。2005 年 NHK 退局後、フリージャーナリストとしてさまざまなテーマについて取材し、幅広いメディアに出演する。著書に『伝える力』（PHP ビジネス新書）、『知らないと恥をかく世界の大問題』シリーズ（角川新書）、『いま、君たちに一番伝えたいこと』『池上彰の君たちと考えるこれからのこと』『池上彰の世界はどこに向かうのか』（いずれも日本経済新聞出版）、『池上彰の未来を拓く君たちへ』『池上彰の 18 歳からの教養講座』（いずれも日経ビジネス人文庫）、『世界史を変えたスパイたち』（日経 BP）など、ベストセラー多数。

# 私たちはなぜ、学び続けるのか

2024年4月11日　1版1刷

著者　**池上 彰**

発行者　中川ヒロミ
発　行　株式会社日経 BP
　　　　日本経済新聞出版
発　売　株式会社日経 BP マーケティング
　　　　〒105-8308　東京都港区虎ノ門4-3-12

ブックデザイン　フロッグキングスタジオ
イラスト　藤田翔
本文 DTP　株式会社キャップス
印刷・製本　シナノ印刷株式会社


本書籍に関するお問い合わせ、ご連絡は下記にて承ります。
https://nkbp.jp/booksQA


ISBN 978-4-296-11891-5 Printed in Japan

ASTRONOMER
GALILEO GALILEI